国家出版基金项目
NATIONAL PUBLICATION FOUNDATION

《三联经典文库》

第二辑

2012 年国家出版基金项目

三联经典文库

103

汪精卫卖国的理论与实践

钱俊瑞　著

生活·讀書·新知 三联书店

图书在版编目(CIP)数据

汪精卫卖国的理论与实践 / 钱俊瑞著. -- 北京：生活·读书·新知三联书店, 2014.1
（三联经典文库第二辑）
ISBN 978-7-108-04641-3

Ⅰ. ①汪… Ⅱ. ①钱… Ⅲ. ①汪精卫（1883～1944）–投降主义–批判 Ⅳ. ①K265.650.7

中国版本图书馆CIP数据核字(2013)第246603号

103 汪精卫卖国的理论与实践

责任编辑 龚黔兰
封扉设计 蔡立国
责任印制 徐 方
出版发行 生活·讀書·新知 三联书店
(北京市东城区美术馆东街22号)
邮 编 100010
经 销 新华书店
印 刷 北京市松源印刷有限公司
版 次 2014年1月北京第1版 2014年1月北京第1次印刷
开 本 787毫米×1092毫米 1/32 印张 6.25
字 数 84千字
定 价 23.00元

《三联经典文库》出版缘起

适逢生活·读书·新知三联书店八十华诞，为弘扬传统，接续文脉，回报读者，服务社会，我们决定策划出版《三联经典文库》。

1932 年 7 月，生活书店在上海创办，此后，读书出版社和新知书店相继成立。本文库第一辑、第二辑所选图书，来自于这三家出版单位及其分支机构，以及 1948 年生活·读书·新知三联书店成立后的出版物，始于 1932 年，截至 1951 年，两辑各一百种。此为第二辑，涉及政治、经济、社会、军事、思想文化诸领域，涵盖专著、文集、散文、小说、诗歌、传记、报道等体裁，既有直面现实、追求真理、讴歌真善美、抨击假恶丑的原创作品，又有引介世界各国先进文化、传播新知、开启民智的迻译之作，真实记录了那一代知识分子的思考与探索、理想与愿景和对中华民族文化传承与创新所做出的努力与贡献。

本文库所辑入各书，多为名家名作，在版本方面，以初版一印本或经著译编者审定、修订、增订过的版本为首选，因此本文库又具有较为珍贵的版本价值和收藏价值。

本文库还将编选续辑，使之成为恢弘文化工程。诚挚希望读者给予批评和指正，帮助我们完善编选工作，再现三联经典作品之风采。殊为遗憾的是，由于年代久远，一些原著译编者及其后人未能取得联系并奉付稿酬，诚盼版权所有者与我们联系。祈愿三联前辈所创造的精神财富能薪火相传，为中华文化的伟大复兴增光添彩。

《三联经典文库》编辑委员会

2013 年 8 月

凡　例

一、本文库为重排本，由繁体字竖排版改为简体字横排版。

一、以忠实于原作、整旧如旧为编辑原则，对当时使用的专有名词、外文译名，以及民国时期的语言和特色予以保留。

一、原书注释如旧，编者所出的注释，均以“编者注”标明，以示与原书注释的区别。

一、对原书残缺或字迹漫漶之处，以□示代。

一、对繁简文本转换时的“如右”、“见左”一类，对应改为“如上（前）”、“见下（后）”。

一、对原书中各种错讹脱衍之处，直接订正，不再以其他符号标示。

一、对数字、标点符号的用法，在不损害原文语义的情况下，做必要的规范。

一、本文库各书均前插原书书影、原书版权页和文库版“本书出版说明”。

一、本书出版说明的撰写，以客观中立为原则，扼要介绍本书的内容、版本流转、著译编者的情况。

本书出版说明

本书是作者批判汪精卫叛国理论与叛国行为的论文集。主要从汪逆叛国的社会意义和政治意义、汉奸理论之最高和破产的形式、反民族主义的民族投降主义、反民权主义的假“民主主义”、反民生主义的“猫哭老鼠”主义、卖国三部曲等几方面对汪精卫的卖国理论进行了梳理与辨析。本书告诉后人，任何时候对于本民族、本国家的悲观失望要不得，这种极端否定的悲观失望容易导致投降主义；对于国外势力的盲目依靠也要不得，完全寄希望于他人，只能葬送自己，独立自主才是唯一的出路。政治层面如此，思想观念层面也同样如此。

本书由生活书店初版于 1939 年 11 月，此次出版，即以此为底本。

钱俊瑞（1908-1985），笔名陶直夫、泽夫、泽甫、周彬等。江苏省无锡人。1927 年毕业于江苏省第三师范学校。1928 年进无锡民众教育学院。从 1929 年起参加陈翰笙的农村经济调查。1935年加入中国共产党，曾任中共中央文委委员、"左翼文化总同盟"宣传委员；9月，与胡愈之等创办《世界知识》杂志，为主编之一；参与创办新知书店。1938年后历任第五战区司令长官部文工委主任、中共中央华中局文委书记、新四军政治部宣传部长等职。1946年任新华社北平分社社长兼总编辑，同年赴延安，历任《解放日报》和新华社社论委员会主任。1947年后任华北大学教务长。1949年后历任教育部党组书记、副部长，文化部党组书记、副部长，中国社会科学院世界经济与政治研究所所长，国家计委顾问，国务院经济中心顾问，中国科学院哲学社会科学部学部委员，中国世界经济学会会长。先后当选为中国共产党第八届中央委员会候补委员，第一、二届全国人大代表，全国政协第一、二届委员、第三至第六届常委，《中国大百科全书》总编辑委员会委员、《世界经济百科全书》编委会主任。著有《中国国防经济建设》、《现今中国土地问题》、《中国地租的本质》、《怎样研究中国经济》、《中国的货币制度往哪里去》、《世界经济与中国经济》、《当代经济概况》和《资本主义与社会主义纵横谈》等。

生活·读书·新知三联书店

2013年8月

生活书店 1939 年 11 月初版书影

汪精衛賣國的理論與實踐

每冊實價國幣五角
外埠酌加寄費

著者 錢俊瑞
發行人 徐伯昕
發行所 生活書店
重慶 上海 桂林 西安 香港 蘭州 昆明 貴陽 星洲 成都 衡陽 南寧 曲江 梧州 梅縣 玉林 南平 赤坎 柳州 立煌
印刷所 生活印刷所

中華民國二十八年十一月初版

1——2000

原书版权页

目次

附　录

一　汪逆叛国的社会意义和政治意义

在一百多年前，即一八三二年一月五日，法兰西的卖国贼梯亥尔（Thiers）在法国人民代表会议前公开招认：他和他的狐群狗党（即所谓合法党者 Legitimist Party）是“以外敌的侵入，进行内乱和扰乱秩序三者为其行动的泉源”。

一百多年后的今天，中华民国的卖国贼汪精卫在全中国人民面前公开招认：他和他的狐群狗党也是以外敌的侵入，挑拨内乱和破坏后方秩序三者做行动的纲领和口号。这正是古今中外，无独有偶了。对于这样一个卖国贼难道还值得我们大费唇舌来斥责么？

当汪逆出走，被开除党籍之时，英国的《每日工人报》（*Daily Worker*）就说“中国赶跑一只破坏统一基础的老鼠”。上海英文《大美晚报》也说：“汪精卫已经死了，但还没有躺下去。”按理讲，对于这样一只讨厌的老鼠（它比起重庆的大老鼠来，只是脸孔漂亮一些，若夫胆量与识时务，则差得远了），也只消轻而易举地学重庆市政府的样，用铜元一大枚，收买了埋葬算了。对于这样一个鬼怪的“行尸”也只消赶快把它推到墓穴里去就算了。又何必由我们杀鸡用牛刀呢！

但这只瘟鼠却偏偏在到处钻营，这个行尸偏偏在到处作祟。特别麻烦的，敌人对它还非常之固执地在把死马当活马骑。于是我们就倒了霉。历史鞭策我们不得不把正经的事情暂时搁一搁，来做一件人间最无聊的事情：说是要把汪逆的汉奸理论和行动仔细检讨一下。这是多乏味的工作呀！但，又有什么办法呢！

汪精卫是什么东西，郭沫若先生早已替他盖棺论定了。郭先生说：“汪精卫是什么精呢？是卖国精，是卖国的妖怪精！”汪精卫的一生，照吴稚老的说法，是由革命青年、党魁、雄辩家、诗人而至于汉奸。如果用学术的说法，汪逆的一生是一个最卑污的小市民，用放浪的革命热情开端，用最丢脸的幻灭结局，他一开始就侧重于个人的恐怖和个人的英雄主义（中山先生当他去刺载沣的时候，已就这样批评他），随后因为他不能真正靠近于人民，所以必然地忽左忽右，终于变成最无耻的叛徒。这样的结局是在中国一个非阶级化（Declassed）了的小市民之最卑污的结局之典型。他从社会和政治舞台上的退场，除了用他惊人的无耻来引起人们一些好奇的注意而外，就再也不会叫人们理睬了。而汪逆就在那么做。

很久很久以前，汪精卫早已变成中国社会的泡沫了。他用他纯粹官僚的活动，把自己从小市民的社会层里拔出来，升化而为飘浮不定滑稽不堪的泡沫。他左右摇摆，东西飘动，像苍蝇逐臭一样，利之所在，身亦随之。所以严格讲来，他早已不属于那一社会层，也早已不能代表任何社会层。他远在国民党开除他党籍以前，已给中国社会"开除"掉了。当然，我们也不否认这个真理："社会上与汪兆铭同样糊涂，同样无耻的也不在少数。"（《扫荡报》一月九日短评）但我们只能承认到这样的地步：即社会上类似汪逆或受汪逆影响的是"不在少数"，我们却不能承认汪逆是中国任何社会层的代表。如果一定要说汪精卫代表些什么，那么他就代表中国社会的糟粕。

一个社会的泡沫，它本身当然并不代表某一个社会层，但它之生存却必须寄生在某一个社会层身上。从“九·一八”以来，汪精卫就逐渐明显地透过日本的浪人和特务，透过他的爪牙的活动，在国内一步步和日本系的买办资本（即专做或偏重做日本生意的中国买办资本）相结合。这个极端无耻的买办金融资本（当时主要在华北）和买办商业资本，百般夤缘，与汪逆的政治势力结合起来，在中日经济提携的口号之下，一方面自己发财，一方面开始卖国。于是汪精卫就凭着他“声望”之重，地位之高，公开变成了日本帝国主义（日本的金融资本和军阀）侵华的触须，变成了日本帝国主义在华的工具。

只有这样我们才能了解汪逆自就任行政院长和兼外交部长以后一贯的亲敌政策。这个政策可让吴稚老举个例来证明。他说：“你在民国廿三四年做行政院兼外交部长时代，不是日本军阀要求撤换察哈尔宋主席哲元吗？你接到日本军阀的要求条件，就不问哪一个，……赶快连夜的下令，即将宋主席撤换，你就对日本军阀俯首帖耳，奉命唯谨的遵办了。不到廿四小时，把我们察哈尔整个的主权奉交日本军阀了。”[1]

只有这样，我们才能了解汪精卫为什么老早就是汉奸和敌探的头子。抗战开始时，政府枪毙的敌探王浚就是汪逆的秘书。而现在跟着他去当傀儡的陈公博、陶希圣之类就是汪逆的心腹和左右手。

同时，也只有这样，我们才能了解为什么抗战第一期汪逆还在抗战阵营里厮混，而一到抗战第二期就不能不公开附敌去了。

从抗战爆发以来，中国社会已经起了很多的变化。各社会阶层的关系已有局部的调整。各种社会力量已有局部的消长[2]。在这里我们特别要说到买办资本，尤其是日本系统下买办资本的情形。

抗战以来，中国经济对帝国主义的依赖，换句话说，中国经济的附庸性，已经大大地减弱了。这不单是因为中国经济对日本的依赖已

[1] 见吴稚晖先生《为汪精卫举一个例的进一解》。

[2] 参看拙著《论政治发展之路》，《国民公论》第一卷二期。

经完全断绝（指总后方的经济），也不单是因为中国与其他列强的联系（指贸易和投资的联系）已经松懈了许多，而且是因为我们在军事和政治上争取独立和解放，对外的关系已经能够逐渐地建立在相当平等互惠的基础上。

买办资本的生命线是对外贸易和外人的投资。战争剥夺了安全和交通运输的便利，再加上敌人在占领区实行种种限制，我们的对外贸易大大降落，外资投到中国来的，几乎已经停滞。于是买办资本的生活力就大大减弱。所以从总的方面说，买办资本的力量从它的绝对量来讲已经相当减弱了。当然，日本的侵略战不仅破坏了买办资本（我们毋宁这样说，买办资本因为具有靠外国牌子的优越条件，所以损失还特别轻），而且破坏了整个国民经济，所以买办资本在整个经济中所占的比重还是很大的。但是如果同时我们估计到中国今天的经济生活与建设主要是集中于离海岸较远的内地，而买办资本的重要根据地至今还不能脱离沿海的大城市（恐怕将永远不能），那么我们可以断定中国国民经济的发展已经多少解脱了一些买办资本的羁绊。同时如果我们估量到，目前我们的抗战主要是靠内地人力和物力的培养，那么买办资本对目前政治的控制和束缚力量，在某种程度以内已经减弱了。

从开战以来，日本资本在华的买办大概作如下的发展：

第一，因为中日邦交的断绝，日本资本在华的活动已经失去它一切的便利，同时中日贸易事实上是停止了，所以日资体系下的买办资本一部分就倒了霉，亏损很大，甚至停止了买办的活动。

第二，买办资本是非常敏感的，它看见日本的买办做不来，改行来做英美的掮客也无妨，何况有些买办本来不分英美日本，什么生意都做得，现在就看风驶舵，专做了欧美资本的掮客。于是在买办资本中，跟英、美、法等国资本发生关系的买办就占了绝对的上风。

> 第三，日本占领区域逐渐扩大，日本资本在那些区域里的活动逐渐扩充，尤其是日货和日钞，它们在一部分沦陷区域已成泛滥之势。这种情形就便利了日本资本的买办，这些买办实际上已经完全是奸商，他们是沦陷区域内傀儡政权的支持者。
>
> 归结起来说，寄生在日本资本体系下的买办对于中国的经济和政治上的影响在基本上可以说是绝对地减弱了，可是他们对于沦陷区域却已大大地扩充他们的力量，而成为日本在华经营殖民地经济的忠臣。[1]

这里最可注意的，第一是日本系统的买办资本在我内地或总后方已完全失去了活动的地盘。第二，因为沦陷区域的扩大，特别是沿海商埠和内地大城市的被敌占领，敌人目前已经在那里积极开发，这样使得日系买办资本在那些区域大大活动起来。这一类汉奸买办，只顾自己发财，不顾民族利益。他们在沦陷区域，帮同敌人

[1] 参看拙著《论政治发展之路》，《国民公论》第一卷二期。

进行经济“建设”和“开发”，他们或用现物出资，或用现金出资，实现敌人的经济计划。除此以外，抗战两年多来，还有极少数人忍受不住抗战的艰难，离开民族国家，把资金拼命送到国外，或在上海香港作外汇投机。还有些人便利用抗战，投机取巧，去发国难财：例如私贩敌货，私运国产原料资敌，帮同敌寇搜刮我法币等等。此外，还有沦陷区域的最反动的封建势力，他们和敌人相勾结，乘机压榨我百姓，作威作福。所有这些都是民族之赘疣，社会之糟粕。而汪精卫者就是这些东西在政治上的代表。他所热衷的是做官，是发财，所以敌人占领区域就心向往之。再加上中国社会各个基本的社会阶层，在日帝国主义的致命威胁之下，在新中国创造的新生机运之前，已经严正的结成统一的民族战线，使汪精卫这类民族败类无容身之地。你看在我们“抗战支那”，有多少的新兴企业家在埋头建设，增加民族生产。有广大的劳工大众忍受着饥寒和失业的苦痛，在为民族流血汗。有广大的农民大众，一面忍饥耐寒，继续生产，和参加抗战。这些真正的中国人是更坚决，更强大，更团结了。他们要驱逐一切社会国家的蠹贼。这样，汪精卫就不得不溜之大吉了。

由此看来汪精卫之出走和公开叛国实在是中国社会在民族革命战争中，向独立自主的大道向前迈进的必然结果。

这就是汪逆公开叛国之社会的和经济的意义。

再就政治方面讲。汪精卫在社会的成分上既是个漂浮的泡沫，那么表现到政治上来，一定如吴稚老所云是“妓女政客”。而这个泡沫一和日系买办资本结合，在政治上就必然很快地变成依偎于日本帝国主义怀中的“妇女政客”（日本人的称呼）了。

抗战的激流当然要把这个日本帝国主义手膀里面的“妓女政客”漂洗掉。这位政治的妓女最怕我们动手打她的顾客，然而我们是发动并坚持抗战，予打击者以打击了，这位政治妓女最怕我们团结一致，使她的顾客和她自身不能施展挑拨离间的伎俩，然而我们是各方面密切合作，全国精诚团结了。这位政治妓女最喜欢琵琶半遮，不见人面，好让她暗中捣鬼，然而我全国人民是挺身起来，无情地打击敌人了。

所以汪逆之出走和公开叛国完全是中国政治进步的

结果。这些进步主要表现于下面几点：

第一，中华民族不仅已经违背着敌人和汪精卫等的意旨，在“七·七”发动抗战，而且能够坚持持久战。没有一次大城市的沦陷和重要据点的失守，不使汪精卫痛哭流涕，[1]叩头求拜，向敌人求降。但中华民族这巨人的铁拳没有一次不把他的阴谋粉碎。最出汪逆意料之外的，武汉、广州失守之后，他终以为和平谈判的时机已经到了，“国内困难已经达于极点”了。但中国却以更大的力量和进步的战略、战术继续抗战下去。于是汪精卫绝望了，同时又“看透了，并且断定了：中日两国明明白白，战争则两伤，和平则共存”[2]。于是溜之大吉，“往共同生存共同发达之大路而前进”[3]。是的，现在该是政客妓女和她的相好“共同生存，共同发达”的时候了。

第二，汪逆之公开叛国又是我全国精诚团结的结

---

[1] 如吴稚晖先生“见汪氏于广州陷落后，若丧考妣，顿足号啕。我以为汪氏对敌国有此仇不报，难见祖宗之慨。哪里知他却是悔恨屈膝太迟。”（见《进一解》）

[2] 汪：《举一个例》。

[3] 同[2]。

果。“双十二事变”后，汪精卫从法西斯的祖国遣返国内，原想猎取国内战争的果实。但不幸他失败了。“七·七事变”的爆发更促进全国精诚团结，共赴国难的机运。二十六年九月二十二日中共发表宣言，声明取消推翻国民党和国民政府的政策，要求全国团结一致，抵抗日本帝国主义的进攻。次日，蒋委员长代表国民党和国民政府发表谈话，说明“在存亡危急之秋，更不应计较过去之一切，而当使全国国民彻底更始，力谋团结，以保国家之生命与生存”。全国团结合作的基础于以确立。接着各省军政系统完全趋于统一，国内各民族也一致拥护中央从事抗战建国的伟业。民国二十七年四月十二日政府公布国民参政会的组织条例，七月六日开国民参政会第一次大会，在这大会中充分表现出各党派各民族和社会各界融融泄泄的团结精神。这种精神随着抗战的持久和更趋艰苦，就越加焕发。于是汪逆发抖了。他感觉国内的团结越巩固，他的“相好”之胜利的机会便越减少，同时他自身被挤出的可能便越增加。到最后，他深知抗战的前途和他个人的前途完全背道而驰，不得不另奔和敌人“共同生存，共同发达”的前程了。而我全国军民

"年余以来，国民则精诚团结，将士则踊跃用命，万众一心，咸集中于本党总裁蒋委员长领导之下，坚毅不屈，有必达胜利之信心"。而汪逆则"处处为敌人要求曲意文饰，不惜颠倒是非为敌张目。就其行为而言，实为通敌求降"。"其为违反纪律危害党国，实已昭然若揭，大义所在，断难姑息，即予永远开除其党籍，并撤除一切职务，借肃党纪，以正视听。"（一月一日国民党中常会"开除汪逆党籍决议"）。中华民国就这样把那只"破坏统一基础的老鼠赶跑了"。而敌人千方百计造谣，说什么"汪精卫之出走是表示抗日统一战线巨大的裂痕"。[1]那只是阿Q的胜利，我们用不着多管。

第三，汪逆之公开逃跑又是我全国人民力量增长的结果。汪逆自己是个浮沲，他最怕群众的力量。然而民族革命战争在本质上，就要求全民的动员。国民党临全大会的宣言说"抗战之胜负，不仅取决于兵力，尤取决于民力"。《抗战建国纲领》更具体规定，"发动全国民众，组织农工商学各职业团体，改善而充实之，使有钱者出钱，有力者出力"。沦陷区的农民纷纷参加游击战

[1] 如《时局情报》三卷二辑页八九，《东京日日》、《大阪每日》版。

了，大批的工人也纷纷参加和领导武装队伍了，商人也动员了起来出钱出力，文化界青年学生都热烈地组织起来参加抗战。于是汪逆发抖了。他认为中国人民的动员完全是共产党在作祟，因为照他的意见，“共产党是以携乱为天性的”[1]。于是他再不能留在“容共抗战派领导下的重庆政府”[2]里面了。两国内外的民众团体也一致对他下讨伐令，要求政府通缉严办了。

第四，汪逆之出走又是国民党本身进步和团结的结果。国民党是主持和领导抗战的党。抗战继续不断地向前发展，自然使国民党的纲领、组织和成分发生很大的变化。二十七年三月临全大会通过的《抗战建国纲领》正确地反映着全民族的要求。四月三十日，蒋总裁申令全体党员不得在党内树立派别小组织，“举凡以前种种小组织应一律取消，以期统一意志，集中力量”。其后又成立三民主义青年团并广收党员，这样使国民党的成分向广的方面发展。于是汪精卫不安于位了。《抗战建国纲领》（包括对内和对外的政策），他是根本反对的。

[1] 汪:《举一个例》。

[2]《时局情报》三卷二辑页八九。

党内的小组织他是躬自领导的。而大批革命青年之被吸收入党更加使他害怕。于是汪逆不能不“自毁其革命历史，背弃全国国民与全党同志”而组织他的伪国民党，借用他的伪青天白日旗去了。虽然“此固革命过程中不可避免之历程。如总理民元革命，一部分之脱离附袁者，以及此后陈炯明之叛变，皆属革命列车前进中所扬弃之尘屑也”（见中宣部及政治部为汪逆叛国共同对外声明书）。洵然！

由此看来，汪精卫之出走和公开叛国实在是中国国内政治在抗战过程中向前进步的结果。

其次，我们要看敌人的状况。敌人对我的基本政策是一战而胜中国。先则要想速战速决，他失败了。随后要想速和速了，他又失败了。现在他鉴于国内军事、财政、经济、政治各方面的困难，一面提出所谓“长期战”（他说持久战不是“支那的专卖品”）和“国家总力战”来应付长局面（见敌陆军省纪念“七·七”两周年小册）；另一面却想用以战养战，逐渐结束战争，或者拖入不战不和，不议而和的局面。这是表示敌人之弱，同时又表示敌人之毒辣。

当敌人要速战速决的时候，敌人用得到汪精卫来分裂我内部，削弱我抗战力量。武汉广州失守，敌人就想用速和速了的手段征服中国，当然那时汪逆是讲和的最好工具。等到速和也和不了时，敌人着慌了，汪逆也着慌了，但不得不干下去，于是跟着敌人新政策的建立，汪逆也不得不行他的新政策——公开投降，身为傀儡了（详见本文第六节）。

由此看来，汪精卫之出走与公开叛国又是敌人困难加深和阴谋加强的必然结果。

这就是从国内政治和敌国状况所说明的汪逆公开叛国的政治意义。

中国社会状况和政治情势在抗战时期的进步迫得这位社会的泡沫和政治的妓女——汪精卫不能不出走，不能不做公开的卖国贼。

二　汉奸理论之最高和破产的形式

一个社会泡沫本身决不可能有它独立的立场，独立的理论，因为各种理论必然反映出各个社会层在实际生产关系中的观点和做法。社会泡沫只是随处漂浮，没有独立的生存，没有独立的人格。因此他决不能有独立的人生观和世界观。如果他也有所谓理论，那一定是东拉西拆，扩述拼凑的“杂拌儿”，而且往往是集各个社会层之最坏的传统和观点之“杂拌儿”。

汪精卫从国民革命以后，在中国社会上便是个无根的泡沫，在政治上便是个无耻的官僚。他决没有独立的固定的观点。他也提出他之所谓“民主政治”，他之所谓“以建设求统一”，但只不过是进行政治阴谋的借口，和投降敌人的进身之阶而已。

当一个民族的“社会泡沫”完全陶醉到民族敌人的

怀里，而怡然自得的时候，那么他的一切就连代表本国各阶层的恶劣传统都说不上，他就干脆变成敌人的代言人了。这因为他的生命线，主要地已经不再存在于国内的统治，而是存在于民族敌人的“枪头利润”和同胞的血泊中了。

“九·一八”以后的汪精卫就公开的变成日本强盗怀里的娼妓，因此他的理论也就或明或暗地采取日本帝国主义代言人的姿态，变成《田中奏折》（最近发展的形式是近卫的“建立东亚新秩序”）在中国的翻版。

但我们对于汪精卫卖国的理论单是这样去了解是完全不够的。大家知道，汪精卫确乎有他一套理论，一套戏法。而这套理论和戏法之卑鄙龌龊，荒谬绝伦，的确可说是前无古人，后无来者。汪精卫的卖国理论的确是集一切汉奸之大成，而成为汉奸理论之最高的形式，同时又是最无耻的破产形式。在这里我们要追究汪逆卖国理论的根源。当然，他的主义就是大日本主义的中国版。但二十世纪四十年代的中国，他要出版他的汪版《田中奏折》，他必须顺乎天而应乎人，吸收各家学说之“精华”而自成一家言，才算够味。

汪逆卖国理论的主要泉源究竟有哪些呢？

第一，他扬弃了中华民族一切优秀的伟大的传统，扬弃了这泱泱大邦的高尚道德（如真正的忠、孝、仁、爱、信、义、和平），而把中国古今所有最无耻最反动的理论、阴谋和品性，像旧货铺一样，一古脑儿收为己有。教单于进兵的萧敢，劝石勒灭晋的张托[1]，称契丹为爸爸的石敬塘，教金兀术灭宋的秦桧，率犬羊残同类的赵延寿，为元灭宋的张弘范，扶清灭明的吴三桂，所有这些奸细卖国贼都变成汪精卫在策略上和人格上的老祖宗。他要使梁鸿志、王克敏等的汉奸理论（这些东西今天正忙着提倡读经复古，拾我国古圣贤的牙慧和渣滓，教老百姓读《百家姓》、《三字经》，为日本强盗替天行道）“科学化”、“近代化”，甚至“革命化”，以提高骗人为效率，增加麻醉的作用。不但这样，为了要使他的汉奸理论接近“群众”起见，他便用他泡沫的本色，把中国现社会机构中极少数动摇分子和最落后的分子的苟安偷闲，贪生怕死的心理，完全剽窃过来，完成他铺张扬厉的“革命”词藻。

[1] 原文如此。——编者注

第二，四十年代的中国不幸而生于世界金融寡头资本采用最毒辣和最残酷的法西斯主义横行世界的时代。法西斯主义是现世界一切黑暗、野蛮、阴谋和屠杀的渊源。是人类罪恶的象征。而我们“伟大的”具有世界性的卖国贼汪精卫便服膺法西斯主义，而至于五体投地。当其吃了手枪，出国疗养之际，汪精卫便做了希特勒的好学生，兼带做了忠实的仆人。所以当他乘西安事变尚未结束，匆匆忙忙奔回中国的时候，他满想做一下现成的弗朗科。不幸他失败了。于是为了报恩起见，只能在外交上凑凑数，坚决主张德意路线。至于内政，“那真正抱歉得很，让日本征服了中国再说吧！ Heil Hitler Wir Danken Siel”。

第三，四十年代的中国不幸而还处在法西斯主义的工具——托派阴谋家非常嚣张的时代。托派阴谋家在全世界范围内以其“左”得颇为好听的辞令和毒辣的恐怖手段，来摧毁各国的革命运动和殖民地的民族解放运动，在全世界建立法西斯主义的野蛮黑暗的统治。而我们“伟大的”革命卖国家汪精卫先生就从“人类的毛厕”里抓出这些“革命”的垃圾来，加以粉饰装潢一番，便赫然成为破坏团结，促成分裂，最能煽动的工具。好在托派国际已经公开把中国和苏联沿海省让给日本，作为其整个纲领中远东政策之重要部分，这样当然更能和汪精卫的卖国纲领呼应了。

汪精卫就凭着这些世界反动势力最新的理论成果，和国内最反动的传统，完成其帮助日本帝国主义征服中国的整套理论和策略。再加上日本强盗本身的侵略理论和浪人特务的诡谲伎俩，汪逆理论于是洋洋大观了。所以我们说，汪精卫的卖国理论比之秦桧、张邦昌等当然高超万倍，比之梁鸿志、王克敏等也是棋高一招。因为汪逆其人善变，他一生经验丰富，从中学到西学，从极左到极右，他都有眼福看到，都有本领去摄取，于是汪逆理论就集汉奸理论之大成，而以最高级的最成熟的形式表现出来。

但汪逆最高级的汉奸理论，其本身却埋伏着一切崩坏的种子。每个面对真理的朋友，你能以为中国历史上那些腐朽的传统和腐蚀了的人性，真能经得起历史巨轮的碾轧吗？你能以为那些法西斯和半法西斯的反动理论真能经得起历史烈火的考验吗？你能以为那种腐蚀的骗人理论——托派反动理论还值得人们来回忆吗？所有构成汪逆卖国理论之泉源的都是那些人类历史的糟粕和人类文明的垃圾，那么你能以为汪逆理论还有生存的余地吗？

汪逆理论之必然破产是无疑的。而且在事实上他已经完全破产了。什么做证明？全中华民族已经视汪逆言行如寇仇，此其一。汪逆行动已经从相当具有政纲的方式，完全变成敌人指挥刀下的恐怖行动了。从理论与政策的方式一降而为纯粹的个别恐怖行动，这就是宣布汪逆如果有所谓理论，也早彻底宣告破产了（参看本文第六节）。

三　反民族主义的民族投降主义

我们民族革命战争的最高准绳是：中山先生的三民主义。我们要以自身的奋斗来建立独立自由快乐的三民主义新国家。

汪精卫要反对我们抗战，反对我们建国，所以他的全部理论是反三民主义的理论，全部纲领（假定有所谓纲领）是反三民主义的纲领。不错，汪精卫曾经参加过革命，曾经做过中山先生的信徒。但这丝毫不妨碍他变成绝对反三民主义的反革命叛徒。而且正唯如此，才使他变成最最毒辣最最乖巧的反三民主义的反革命叛徒。因为他曾经一知半解过三民主义，所以他对三民主义的曲解和污蔑就特别巧妙，特别严重。因为他曾经参加过革命，所以对于反革命的方法和手段，就特别领会，特别娴熟。

首先他以他的民族失败主义，民族投降主义来对抗孙中山先生的民族主义。中山先生的民族主义目的在求得中华民族“国际地位的平等”，使中国脱离“次殖民地”的地位，独立自由存在于世界。而汪精卫却要我们忍受日本帝国主义的侵略，屈辱投降，不但使中国的国际地位永远得不到平等，使中国永远不能脱离“次殖民地”的地位，而且要完成敌人“整个吞并我国家与根本消灭我民族”[1]的大阴谋。

且让我们来看看汪精卫的民族投降主义是表现得怎样无耻和巧妙吧。

汪逆民族投降主义的具体表现可以分三个阶段。第一个阶段是在抗战发动之前，这时期的特点是积极方面提倡睦邻主义，消极方面提倡民族失败主义。第二阶段是从抗战发动到脱离重庆，这时期的特点是口头拥护抗战，实际阴谋阻挠。第三个阶段是从他发表“艳电”直到现在，这时期的特点是公开主和，暴露真相。

汪逆在第一阶段是一生顶阔的回光返照时代。他曾主政，并且主外交。在那时汪逆就完全是日本军阀财阀

[1] 见蒋委员长驳斥近卫声明训词。

的忠仆，日阀耳提面命，他无有不应。他曾听任敌军在我祖国领土内横行。他曾颁布敦睦邦交令，取缔抗敌救亡言论。他曾接受广田三原则，支持中日经济提携，便利敌人的吞食政策。他曾受敌阀之命，撤换宋哲元，使“于学忠不能安于河北政府，将他调任甘肃；商震不能安于河北政府，将他调任河南”，而汪逆还假惺惺作态，“固然心里十分难过，然不使其人之失职，及其所部之失所，这种苦心，也曾得到天下人的谅解！”[1]这些就是汪逆当时睦邻主义在行动上的表现，也就是他的民族投降主义正面的表现。

从“九·一八”以后，国内民众的救国运动逐渐高涨，尤其是二十四年华北问题以后，民气越发激昂，沛然形成广大的运动。他们要求国内团结统一，对日发动抗战。汪逆在旺盛民气的压迫之前，就发挥他的民族失败主义的理论。有名的唯武器论便是这种理论的典型的代表。他特别夸张敌人的武器如何如何齐备，如何如何优良，为的得出他三月灭华的结论。这些已为大家所熟知，在这里不必多说。

---

[1] 见汪在二十六年七月廿八日庐山第二次谈话会致词。

等到全面抗战已经成为不可阻遏的趋势，同时一部分军民已经动手打鬼子的时候，汪精卫的失败主义便采取绝望的民族毁灭主义的形式表现出来。他聪明地发明了他个人的“焦土抗战”政策（注意他的焦土抗战和李、白二将军一向坚持的焦土抗战是风马牛不相及的）。他故意曲解蒋委员长的“最后关头”和“牺牲”的意义。他说：“我们是弱国，我们是弱国之民，我们所谓抵抗，无他内容，其内容只是牺牲。我们要使每一个人，每一块地，都成为灰烬，不使敌人有一些得到手里。”又说，“无论是通都大邑，无论是穷乡僻壤，必使人与地俱成灰烬。我们虽挡不住敌人之杀进来，然而我们必能使敌人杀进来之后，一无所得。”又说，“天下既无弱者，天下即无强者，那么我们牺牲完了，我们的抵抗也达到了。”[1]他甚至广播要中国国民实行新式的“自尽”。

这就是汪精卫焦土抗战的全部说明。谁都知道，我们之对敌抗战，目的正为着中华民族的生存。我们正为了生存才不得不抗战，不得不牺牲。所以抗战的目的是积极的，抗战的意义是神圣的。而汪精卫所说的种种，

[1] 见汪在廿六年七月廿九日南京广播：《最后关头》。

决不是牺牲，而是自杀；决不是焦土抗战，而是民族毁灭。汪精卫这种“焦土抗战”的主张完全建筑在世纪末的哲学之上。这表示在他的一篇观点中已经失去了一切积极的奋发的因素。他在精神上在镕铸一种死灭的意识形态。但实际上，他是在做日本帝国主义最精确的代言人。因为日本法西斯军阀征华的目的，就要不费一弹，不伤一兵，灭我国家，亡我民族。而汪精卫就在这里提倡其民族自尽，国民自杀的政策，日本帝国主义当然欢迎之不暇了。汪精卫不懂得这个吗？懂得懂得！他之所以要这样危言耸听，曲解蒋委员长的英明抗战政策，无非要使全国老百姓对抗战抱极端的危惧心理，认为抗战真正要使“每一个人，每一块地，都成灰烬”，由此而害怕起来，不愿支持政府对敌作战，打断政府已经确定了的抗战国策罢了[1]。

在这里我们必须指明，汪精卫在那时这样发挥他的“焦土抗战”政策，一面是慑于政府政策和民气之不可抵御，而另一面却为他以后的政治阴谋伏下了根基。谁都

[1] 蒋委员长在二十六年七月十七日已经宣布最后关头已到，即宣布了抗战的国策。

记得长沙的大火曾被汪逆作为借口，来反对抗战之继续。但实际上“长沙惨案”客观说来可以说是汪逆焦土政策之具体实现，所以其负责人就给政府枪毙了。汪精卫反抓住这把柄，说：抗战是这样的坏事情，“把每一个人，每一块地，都成灰烬了”，“民众们，赶快起来反对抗战吧”。这些都是和汪逆目前在香港上海一带的宣传一贯的。

*　　*　　*　　*

抗战全面地发动了。于是汪逆在第二阶段的民族投降主义不得不有新的表现。那时国内外政治情势的骨干是这样：第一是全国军民坚决主张抗战到底；第二是国内精诚团结日益巩固；第三是中苏关系急激好转；同时德、意实际上帮助敌人，并企图调停战事，劝诱我对日投降。汪精卫的民族投降主义就适应着这个新环境，巧妙地发挥其作用。

第一，历史告诉我们，只有拙劣的反革命分子才公开站到反革命的阵营去；一切顶阴险顶毒辣的反革命分子，一定伪装革命，混在革命的阵营里，从内部来破坏革命。汪精卫积中外几十年反动之经验，当然深知此中诀窍，所以他在表面上也积极赞助抗战了。

让我们听他甜蜜地歌唱吧。

1.“一打就打到底曲”:“在最后关头未到以前，我们就决定一句话：一打，就打到底。绝对不中途妥协。这种态度完全变成与从前两样的人。最后关头以前，好像布放军事上的烟幕弹一样，把我们完全遮掩住在烟幕中做工作，绝对不敢说半句决裂的话。到了最后关头以后，全副精神通统用在抗战上，绝对不中途妥协。‘中途妥协，只有灭亡’，这八个字，不是恐吓的话，更不是鼓励的话，有深刻意义在。中途妥协，除了屈服以外，还能得到什么？绝对得不到和平。”[1]

坚贞而不拔。这是汪精卫在唱么？谁说不是！

2.“不做傀儡曲”:“中国历史上为外族所侵略，半亡者数次，全亡者两次。这些亡不是侵略者能将我们四万万人杀尽，能将我四百余万方里毁尽，而是我们死了几个有血性的人之后，大多数没有血性的人将自家的身体，连同所有的土地，都进贡给侵略者，以为富贵之地。侵略者因此极写意的便将我们大多数的人，以及全数的土地，得到手里。我们今日是不是仍然要做傀儡呢？不

[1] 见《抗战建国同时进行》，汪在二十七年长沙各界欢迎会上演讲词。

做傀儡，只有牺牲。”[1]

光明而恳挚。这是汪精卫在唱吗？谁说不是！

3.“义民曲”：“天下只有顺民才会当亡国奴，才会以一己的生存而致国家民族于死；否则义民。”[2]

短小而精彩。这是汪精卫在唱吗？谁说不是！

4.“最后胜利曲”：“有了牺牲精神以为根本，军队方面虽然因作战而受了损失，但牺牲精神的提起，适足使强者愈强，弱者亦化弱为强。（注意！）民众方面虽然因战事增加种种负担，负受种种痛苦，但牺牲精神的提起，足使团结愈加坚固，能力愈加增进。（注意！）这次的胜利（指台儿庄的胜利）……于国民的自信力是有深刻的影响。我们唯有遵照蒋委员长“阳电”所示，本着这牺牲精神，闻胜不骄，闻败不馁，坚毅沉着，忍劳耐苦，以期竭尽责任，这样必然的可以初步的胜利，日益迈进，而得到最后的胜利。”[3]

坚定而切实。这是汪精卫在唱吗？谁说不是！

---

[1] 汪在二十六年七月二十九日南京广播：《最后关头》。

[2] 见汪在二十六年九月十八日在中央党部演讲辞。

[3] 见汪在二十七年四月九日汉口广播：《牺牲精神之提起》。

5. 最后的压台曲，“毒到尽头处”：“敌人深知道对于中国的地方不难于攻陷，而难于攻陷之后，能安然占领，无所顾虑。所以于攻陷之后，必使种种政策，以期达到安然占领之目的，其一是麻醉政策，如近日所传制造傀儡政府即其一端。因为以中国的钱，养中国的兵，来杀中国的人还不够毒；以中国的钱养中国的士大夫，来治中国的人，才算得毒到尽头处。”[1]

深刻而确切。这是汪精卫在唱吗？谁又说不是呢！

总之，一切好的，对的，美丽的，动听的话语，都给汪精卫说光了。如果伟大的音乐家悲多汶在世，他一定要继其颂扬拿破仑之曲而后，编一曲“十全十美”交响乐献给我们这位伟大的革命家了。

但白昼往往见行尸。光明的外套之下罩着丑恶和犯罪之极致。汪精卫之所以不能不这样冠冕堂皇，这一面是表现全国军民的意向究竟违抗不了，而另一面却表现出汪逆行径的“毒到尽头处”。从抗战爆发以来，汪精卫就无时无刻不在活动“中途妥协”，活动“做傀儡”，活动“做顺民”，活动做到敌人的“毒到尽头处”。有证

[1] 见汪在二十七年一月一日发表的：《我们同志应有的决心和努力》。

据没有呢？“证据何止千百，今且举一个例吧。”[1]

汪精卫的那篇大文“举一个例”就是最好的证据。他说：“主和是我对于国事的主张了。这是我一人的主张么？不是，是最高机关，经过讨论，而共同决定的主张。”接着他举出二十六年十二月六日国防最高会议常务委员会议为例。汪精卫一口咬定主和是那次会议“经过讨论而共同决定的主张”，其为撒谎造谣，已由吴稚老痛加驳斥，不必再费笔墨。我们在这里所注意的倒是汪逆个人至少从二十六年十二月六日已经牢牢把握住：“主和是我对国事的主张了。”但这决不是共同的主张，单是汪精卫一贯的主张罢了。

还要举个例么？好，让我们提敌人上堂来做人证。

“关于汪兆铭吴佩孚和平运动展开”的座谈会

时　间　　一九三九年二月十五日

地　点　　东京于芝，嵯峨野

[1] 引文见汪在二十八年四月一日香港《南华日报》《举一个例》。

出席者　井上谦吉（东洋协会）

太田宇之助（东京《朝日新闻》）

冈野增次郎（前吴佩孚顾问）

小宣诚（《报知新闻》）

佐藤安之助（陆军少将）

藤田荣介（前全权公使）

鹫泽与四二（前众议院议员）

记者："现在请佐藤先生赐教。"

佐藤安之助："汪兆铭脱离重庆，突然发表声明，……事出有因，并非突然。……汪氏从一年前起就频频策划和平，但表现在报纸上还开始于去年十月。那时广州、汉口相继陷落，汪兆铭就对新闻记者大谈和平。……但我们在去年三四月间就已经知道了。……"

记者："汪兆铭的和平论究竟何时开始呢？"

佐藤安之助："我在去年春天就知道汪兆

铭是非常热衷的和平论者，而且知道他在拼命进行和平运动。我今附带谈其经过。去年二三月间我住在上海，我熟识一个朋友，他是汪系的人，我们时常谈论各种时局问题。此公如能参加维新政府，那确是非常有力的人。关于他，松井石根君也有许多话（这是对我讲的），但他并未参加。如果我们稍为活动一下，那许是会成功的；只因我们没有活动，此举就像宣告了失败。相反的，那位先生说起要到汉口一行，他就去了。他到了汉口，就详谈谁是主战论者，谁是什么。他和汪兆铭在汉口同住了四个晚上，有两晚每晚恳谈了二三小时。汪氏担心着当时的时局，至于流起泪来。他说，中日两国这样火并下去，实是蠢事，双方都无好处，反之，都将蒙非常的损害，只让第三国来收渔翁之利。所以战争必须及早结束。他还说，像你那样有很多日本青年朋友的人，真要为着两大国的利益，求取和平而努力呀。……我那位朋友年纪五十五六。……所以汪兆铭的和平问题决不是突然而起的。”[1]

实际上我们的证据何必举得这样远呢。听他最后的自供已经完全足够了。他在本年四月八日发表的那封《复华侨某君书》内，就老老实实说出：“我自从抗战开始以来，想到中国不得已而抗战，时时刻刻想到抗战怎样可以持久？怎样可以胜利？同时也想着怎样可以觅得和平？我对于觅得和平的意见，在会议里不知说过多少次了；到了广州丢了，长沙烧了，我的意见更加坚决，更加期其实现。”

汪精卫自己的供状和敌寇佐藤的人证，证明汪逆的主和运动早在开始。这还不明显么？老实说吧，汪精卫的主和策动已经明显到这样的程度使他在公开的言论里也露出了马脚。

当抗战一开始，汪精卫当然满肚子不高兴。他公开发牢骚了。二十七年八月三日那天，他忽然广播他那篇有名的演说《大家要说老实话，大家要负责任》。他先曲解了历史来发他的鸟气。他说“中国宋末明末曾两次

[1]《文艺春秋》，本年三月号页三七——三八。

亡国，其亡国之原因最大最著的在于（当然在于有吴三桂之流的卖国贼咯——瑞[1]）不说老实话，心里所想与口里所说，并不一样”。他骂人了，但不幸他却骂出了马脚来。他接着广播：“在大战中，俄国败于德国，几乎亡了；德国、土国败于协约国，几乎亡了。然足能保存，且能复兴，这都是于垂亡之际，人人下了救亡图存的决心，人人肯说老实话。和呢，是会吃亏的，就老实的承认吃亏，并且求于吃亏之后，有所以抵偿。”“这种做法，无他妙巧，只是说老实话而已。”汪精卫从那时起已经公开提出和的问题，同时要大家“说老实话，负责任”。当时大家还莫测其高深。直到今年当我们拜读了他的《复华侨某君书》才恍然大悟他所谓“老实话、负责任”的道理。他说，“政府则必须握着现实，不得不战则战，可以和则和，时时刻刻，小心在意为国家找一条生路，才是合理。……一般何苦自讨没趣？何况话一说出口，就被人指为汉奸，一般人心中想想，亡国是大家有份，汉奸的恶名却要我一个人承当，这更是何苦？这么一来，自然而然的，心虽知其危而口不敢言了。这

[1] 瑞，即作者按语，下同。——编者注

是不说老实话的原因，也就是不负责任的原因，也就是亡国的原因。”但汪先生请听者：和战只在你个人成问题。你对此已经说了“老实话”，而且又负了责任，他人是未便奉陪的。那么汪精卫之悻悻然对全国同胞生气，又岂偶然哉？这就叫做社会蛆虫的悲哀！

汪精卫看到单是生气是不够的，他必得对抗战本身加以抨击，始能收他“负责任”之效。他深深知道长期抗战是他最大的冤家。同时“焦土抗战”是最能表现我民族的决心，游击战是最能消耗敌人的实力。于是他不惜用一切曲解和造谣，来打击长期抗战，打击焦土抗战和游击战。

长期抗战的具体口号是抗战到底，于是汪精卫及其一派就在“底”字上面用功夫了。谁都知道，抗战到底就是抗战要达成胜利之目的才肯罢休（见蒋委员长《抗战二周年纪念告全国军民书》）。更具体地说，是要打到恢复“九 · 一八”前原状为止（见陈诚对重庆文化界谈话）。但汪精卫却尽量宣传抗战是“无底洞”，是没有底止的；一打就要一直打下去。谁都知道，这是骗人的话，同时又是吓人的话。因为历史告诉我们，战争终是有结束的日期的，西洋历史上所谓“百年战争”也有一定的时期，并非一直打下去，没有底止。照上次世界大战的情形推算，帝国主义列强决不能支持四年以上的战争。因为再拖下去，他们国内的经济政治必然发生危机，国内人民会用国内战争来结束对外战争。俄国便是最好的例子。日本是个小的强国，他所能支持的时期尽管有军人法西斯的极端统制和对我物力财力之运用，但只要我们和他拼下去，就决不能超过四年。但汪精卫等偏要说我们的抗战将无底止，这只是要恐吓一般老百姓，使他们对抗战胜利失去信心，对抗战前途发生危惧，其作用正和他强调民族自杀主义一样。

关于“焦土抗战”，在全中国也只有汪逆这类的无耻叛徒才把他理解成民族的自杀和自灭。可是他偏要造作种种谣言，诬蔑我将士“不战而焦土”。他在这里又以霭然仁者的面貌出现了。“民力必须爱惜”呀！接着又来无的放矢了：“我们必须认识清楚，所谓焦土战者，是因战而至于焦土，绝不是不战，更绝不是即使不战也要焦土。……既然打算不战，则其决心先松懈了，其纪律也就随以废弛了，其秩序也就随以紊乱了。于此而犹言焦土，其结果只有老百姓晦气，而敌人则正如隔岸观火，真所谓亲厚者所痛，仇雠者所快，万万要不得的。”[1]但汪先生请听者：在五个月前教我们“所谓抵抗，无他内容，其内容只是牺牲的”决不是别人，而正是汪先生自己，那么汪先生到这时才“说老实话”，负责任，要使我们“老百姓晦气”，使“敌人隔岸观火”。是不是？正确的严肃的焦土抗战是决不会因为你的诬蔑而停止的。那么汪先生又枉费心思了。

关于游击战也是一样。汪精卫偏要诬蔑我们的游击战士为“游来游去，游而不击”；“消耗民力，断绝了长期抗战的生命”。[2]不但如此，他还故意夸大这个问题，使一般民众对游击战发生军事和政治上的恶劣印象。他说“焦土战，游击战这两个名词，本来是战术的名词，然而流行起来，渐渐成为政治上的名词了”。[3]又说，“有了共产党的所谓游击战，便不愁在地方上还会有一点孑遗了。你读过历史，你知道共产党所谓游击战，不过是

[1] 汪在二十七年一月十三日发表的《如何使用民力》。

[2] 同上。

[3] 同上。

流寇的别名，人民如禾，流寇则如蝗虫，所过之处没有不食尽烧光的。从前的人听见流寇二字，就会惊心，如今给共产党加上些文章词藻，却被认为抗战到底的秘诀了。”(《复华侨书》)这就是汪精卫的拿手好戏。他又把他对于抗战本身的打击，扩大而为对国内团结的打击了。但事实很显然，游击战到现在尤其在敌后，已被正确地采用为主要的战术，变成我国策的一部分了。汪逆的打击又扑了个空。

所有这些我们还不够证明汪精卫在抗战以后虽然口头上支持抗战，而实际上却在主张妥协，破坏抗战么？

第二，上面指明从抗战发动以来，政治情势的基本特点之二，就是国内精诚团结的日趋巩固。这种趋势汪精卫是根本反对的。因为国内越团结，敌人和他就越没有挑拨离间，各个击破的可能。但汪精卫比苍蝇还聪明，他的作为必须审慎而隐藏。

精诚团结适合于抗战本能的要求，它为抗战所必需，它已成为沛然莫之能御的趋势了。那么，汪精卫该怎么办呢？一句话：顺水推舟，暗中摸鱼。他为什么不在表面上也积极赞助精诚团结呢？

我们厌倦的读者们又有机会欣赏那小鸟儿的美妙绝伦的歌喉了。

关于“日本一贯的分化政策”和我们的统一团结，汪精卫用他得意的高音部歌唱着：“日本从前曾作种种宣传，说中国没有国家组织，决不能统一，但事实上中国已经统一起来了。又说，中国因不能统一之故，决不能作全面抗战，北自北，西北自西北，南自南，西南自西南，各不相顾。但事实上中国已经发动了全面的抗战了。又说，中国国民党与各党各派必不能相容，且与国民党的意志亦必不能一致。但事实上中国民众已经认定国家高于一切，团结起来，为国家之生存及民族、民权、民生主义之实现而奋斗了。凡此皆足证明日本的分化作用越加急激，我们的精诚团结越加坚固。”[1]

多美满呀，真所谓至矣尽矣，无以复加矣。

关于“防共”问题，他劈头就唱：“防共是一个借口。”接着他说，“日本宣传：中国容共，所以不能不有此次战争。到了最近，中国共产军队已经决心御侮，改编为国民革命军第八路军了，日本趁火打劫的机会从此不再

[1] 见《今日救国之道》，汪在二十六年九月在南京平津同学会讲词。

有了。从前中国在江西等处用兵吃紧的时候，日本所加于中国的是侵略，如今中国全面抗战的时候，日本所加于中国的也是一样的侵略。日本只有老实的承认侵略罢了，还有什么可以借口的。”[1]

说得斩钉而截铁。真所谓至矣尽矣，无以复加矣。

但事实上怎么样呢？汪精卫从抗战发动以来就从未停止片刻，进行其损害领袖威信，拆散各党派团结一致之阴谋。有什么证据？“证据何止千百”，且举汪逆自己举出的例子来做证明。

据汪精卫的自供：他在二十七年十二月廿六日曾致函国防最高会议。内云：“犹忆去岁十二月初，南京尚未陷落之际，德大使前赴南京，谒蒋先生，所述日方条件，不如此明划，且较此为苛。蒋先生体念大局，曾毅然许诺，以之为和平谈判之基础（？？）。”[2]真是白昼见鬼！汪精卫只想凭空造谣，诬蔑蒋委员长愿意和平谈判，在全国军民之前减损蒋委员长的威望，分裂抗战阵营，其居心之险毒，真狗彘不食。至于他在第二次国民

[1] 见《今日救国之道》，汪在二十六年九月在南京平津同学会讲词。

[2] 见汪文《举一个例》。

参政会开会，以参政会议长之尊，竟公开表示反对蒋委员长，挑拨党派之争，更是路人皆见了。

关于共产党问题，他虽然郑重声明“中国共产军队已经决心御侮，改编为国民革命军第八路军”，使“日本趁火打劫的机会从此不再有”，但在骨子里，却尽量挑拨摩擦，完成他所说的“日本的分化作用”。瞧他那种咬牙切齿的态度吧。“我以为共产党是以捣乱为天性的，主战也捣乱，主和也捣乱。共产党的捣乱，如果于主和时表面化，比现时操纵把持，挑拨离间的局面，只有较好，没有较坏。”[1]。好一个敌人的中文宣传品啊。但请分化专家汪精卫听者：“在我们全国一致实行三民主义的中国，若再谈共同防共，完全是无的放矢！”（蒋委员长驳斥“近卫声明”）“自前年中国共产党声明拥护三民主义以来，事实上中国人民的思想行动，已完全统一于三民主义之下。我们国家法律的最高原则是三民主义。凡不违反三民主义的行动都为合法；凡合法行动的人民都一律受到法律的保障，而中国今天无论何党派，都受着中国国民党的领导，服从法纪，效忠抗战。”（《蒋

[1] 见汪文《举一个例》。

委员长抗战第二周年纪念日告日本民众书》）“你提到共产不共产，无非想胡说中国赞成共产，应为以防共为幌子的侵略所膺惩罢了：你可以借求外援的名义来借日本兵平内乱了。你这种用心，不是明代的吴三桂，朝鲜的李完用吗？”（吴稚晖先生:《进一解》）

所有这些我们还不够证明汪逆在抗战以后，虽然口头上支持团结统一，而实际上却在破坏团结和统一吗，进而想造成内乱吗？

第三，抗战以后国内外形势的第三个特点，是中苏关系的急激好转，和德、意在实际上帮助敌人，并设法调停战事，劝我们投降。在这里汪精卫又碰到了难题目。苏联是他深恶痛绝的，但他现在却实际上在帮我们的忙。德、意是他的干爷和干娘，但他们却不帮助我们，反而在帮敌人。汪精卫怎办呢？我们可以老实告诉读者，汪精卫在这里是真是既诡谲，又勇敢。

要说汪精卫不懂得外交上的联合战线，那是冤枉了他。要说汪精卫不知道在抗战中应当联合苏联，对抗日本，那更是冤枉了他。汪精卫不要等今天，在十五年前对于这些早已了解无遗了。民国十四年十月二日，他在陆军军官学校就党代表时就演说道：

我们对于我们打破帝国主义的运动与工作，应该不应该联合战线呢？俄国在大革命以前，也是白种人所建立国家里头一个极厉害的帝国主义者。大革命以后，自己抛弃了从来固有的帝国主义，却被各个帝国主义者，联合起来，将他封锁，要他生生的冻死饿死。他好容易从重重封锁中挣脱出来，自己得了自由，同时也想世界上一切人都得了自由，所以对于世界上被压迫民族便定下了民族解放的政策，对于欧洲被压迫阶级便定下了阶级觉悟的政策，这真真是帝国主义的死对头，是打倒帝国主义的急先锋。他的志愿，由他的领袖列宁明明白白的说了出来，世界上十二万万五千万的被压迫人民，联合起来，向二万万五千万的压迫人民，要求解放。我们对于这样以世界革命打倒帝国主义的先进，应该不应该联合战线呢？

唉！可怜的同胞啊，没有勇气，却偏要多

疑，他喃喃的道："非我族类，其心必异，俄国何故帮助我们呢，只怕不怀好意罢。"他虽然不相信理论，他不能不相信事实。比如民国六七年间，日本说帮助段祺瑞参战借款与供给军械，却一手的将中国无数利权，攫了过去。我们根据这些事实，便可以说日本的帮助，是不怀好意。如今俄国的帮助我们是怎样呢，他起先和中国成立了《中俄协定》，将从前帝国时代，对于中国所缔结的一切不平等条约和种种特权，一概取消，重订双方平等互尊主权之条约。他随后认定了中国里头哪些人是要做国民革命的，便用他的心力，去帮助哪些人，他没有一些别的要求，他没有一些别的企图，也没有占过一些便宜。他没拿过一些利益，他只为帝国主义是中国的敌人，也就是他的敌人，他只求以中国国民革命的成功，促进世界革命的成功。我们虽然不相信理论，难道事实是凭空可以捏造的，是凭空可以抹杀的么？唉！可怜的同胞啊，没有强固的精神，却偏会有虚骄之气！他又呐呐的道，“我们革命，要凭自力，不要求人帮助。”须知道在这世界大战中，帝国主义在一起，反帝国主义自然也在一起，联合战线的时候，不但互相帮助，算不了什么稀奇。

我们这联合战线，是无人可以摇动的，是无人可以离开的，是无人可以冲破的，我们一致努力，一致要求世界革命成功。[1]

他把当时孙中山先生的联俄政策解释得这样明白，这样透彻。在大体上，这种解释可以完全适用于当前的情形。但今天的汪精卫却必须打当时汪精卫的嘴巴了。为什么？因为如果当时的汪精卫还是革命的英雄，那么在今天他早成革命的叛徒了。所以，他对于苏联问题，除在参政会上公开指使其死党李圣五、陶希圣之流公开反对苏联，主张德、意路线以外，在理论和主张上就采取这样的方式。

第一，他故意曲解积极联俄的政策为抛弃对英、美、

[1] 见《汪精卫文选》，上海更新出版社，页一九〇——一九三。

法的联合，这样来把联俄问题和国内政治问题和思想问题故意纠缠起来，造成一部分人的疑惧。比方他说“近来颇有一部分人士持着一种见解，以为中国必须抛弃对于资本主义国家的信赖，方才可以得到苏联真实的援助。……兄弟以为这种见解是看不清楚现在国际和平之路线，看不清楚现在中国须循着国际和平之路线以前进。不用说别的，只怕连苏联听了也吓一跳，也会把肩头耸起，也会把舌头伸出来。”[1]是的，汪精卫之虚构事实，捕风捉影的伎俩，是够使人“吓了一跳”“把舌头伸出来”的。但谁都知道，政府的联俄政策绝对没有抛弃对英、美、法的友谊；民间主张联俄的人也绝对主张中国对英、美、法、苏须作平行的联合。主张不联合英、美、法等资本主义国家的倒不是别人，恰恰是汪精卫汉奸最好的帮手托派阴谋家，他们才主张“我们抗战要打倒一切帝国主义”呢。

第二，汪精卫等拼命造作谣言，说我们的抗战，不是为中国，而是为了苏联。他说，“中日战争就是日苏战争的前哨战”。甚至说，中国抗战可说是“为人作嫁”。

[1] 见汪著《寻求与国与团结民众》，二十六年十一月十二日发表。

这种无耻理论显然在曲解抗战，诬辱抗战。谁不知道，抗战是为求得中华民族自身的独立与生存？抗战是自己的事，决不是人家的事。所谓自力更生就是这个道理。但汪精卫偏要诬蔑抗战的神圣任务，其目的不外：

第一，他要打消全国军民抗战的决心和积极自发的精神，让抗战寿终正寝。其次，就是要培养国民对苏联的猜疑，挑拨对苏联的恶感，使中苏邦交发生裂痕。

第三，汪精卫深懂得物极必反的道理，而且他善于运用这个道理。他看到联俄已成固定的政策，于是他将欲毁之，必先成之，故意扩大苏联应该援助和必须援助我们的程度。他和他的助手陶希圣等就开始发动一个运动，在舆论上鼓吹苏联必须立即出兵，应该立即出兵。请看他的高论："苏俄明白得很：日本侵略中国，即是侵略苏俄。深切些说，日本之所以侵略中国，就为的是侵略苏俄。……所以中日战争无异是日俄战争之前哨战。苏俄为共同利害计，与中国共同向日本作战，其为当然尤无可疑。"又说："日本之侵略中国，所危害者不止中国。世界各国一致前来共同作战，尤其是关系最深之国，剑及履及，前来共同作战，在理论上是当然的。”[1]

你要联苏么？好，你就要希望苏联出兵；因为中日战争就是中苏战争。你必须把肥皂泡吹得这样用力，使它大到破灭了，然而你们的阴谋才能完成。苏联出兵的希望幻灭了，由于联俄的心理基础完全毁掉了，这样来破坏中苏关系，才是最好的计策。但在我们是非常清楚的。抗战是我们自己的事情。“今日我民族虽贫，而其责望于友邦者，唯在善尽其责任与义务，而决不存越理之奢望，与分外之要求。”（《蒋委员长抗战二周年纪念告各友邦书》）但我们要说汪精卫不知道苏联在当时情势下，决不可能出兵么？那是看得汪精卫太低能了。你看他又会向我们解释（当然这种解释一部分是故意歪曲）得清清白白：

> 事实摆在面前，苏俄之准备战争与避免战争与其他各国并无二致。而且还有以下几个原因：其一，苏俄为什么由世界革命主义而变

[1]《就寻求与国与团结民众再引申几句话》，二十六年十一月廿七日在武汉市党部欢迎会上之演讲。

为一国国家社会主义呢？是否欲埋头建设，暂时与人无竞与物无争，而养精蓄锐以待天下之变。如其是也，苏俄是否轻于参加战争？其二，苏俄东则有日本之忧，西则有德国之忧，此外还有波兰，还有意国，苏俄所以汲汲于加入国联，与法国订立互助协定，结合英国，乃至美国，其意至昭。在此互助牵制的局面下，苏俄是否以一国轻与参加战争？其三，即专以对日本而论，苏俄地势，在军事上，显然是利于取守势，西伯利亚苦寒的气候，广漠的平原，即使与日本支持两三年，莫斯科是不会发生什么影响的，苏俄是否肯轻于改取攻势？以上三个疑问，只要常识常理来说，其他外交秘密，军事秘密，且置不谈，然即就此常识常理来说，已可窥见一般了。[1]

然则汪精卫是明知苏联在目前状况下是不会出兵而

[1]《就寻求与国与团结民众再引申几句话》，二十六年十一月廿七日在武汉市党部欢迎会上之演讲。

只能用其他方式帮助中国了。知其不能而故意夸大其应该和必须，此无他，不过要毁灭中国人民对苏联的好感而已。

这就是汪精卫之流对苏联问题的看法和实际的做法。

其次我们来看汪精卫对德、意的态度。对于这点，他是态度鲜明，真相暴露了。到今天已经谁都知道，汪精卫在内政上是国家社会党法西斯主义的崇拜者，而在外交上便是德意路线的创作者。这里我们只说他在外交上的做法。

第一，他在理论上绝对否认日、德、意侵略集团和英、美、法、苏反侵略集团之存在。德、意是可以帮助我们的，所以我们不能把他们撇开。他说："有人责备道：日、德、意与英、美、法、苏是两大对垒，正和欧战前德、奥、意的同盟与英、法、俄的协约，形成两大对垒一样。中国究竟应该站在那边？中国为什么还要与德、意引成友好关系呢？无怪英、美、法尤其苏俄有些不放心中国的态度与决心了。""这话也是奇怪，英国不是明明白白与德国谋友谊之维持与增进么？法国不是明明白白与意国谋友谊之维持与增进么？不宁惟是，英之与意，法之与德，也正在谋冲突之减轻，关系之增重，苏俄之于德、意，虽似隔阂，其外交作用，也何尝稍为休歇，因为外交作用，莫大于寻求与国，减少敌国。例如欧战以前，德、奥、意是同盟的，英、法苦心孤诣将意国拉出同盟，变为中立，其后还将意国接入协商，谋国之忠，固宜如此。除了曾存着一种坏心事，所谓伐人之国，必先伐其交，才会劝人斩断了其他各国一切关系，而一心一意投入一国的怀抱里去。日本前此所谓中国好以夷制夷，即是此一种坏心事之表现，唉！说这些话的，如有别有用心，我还有什么希望，如果还有一点爱国心，我劝他快些将这些话收回去吧。”[1]又说，“有一部分人士持着一种见解，以为中国至少须把法西斯蒂的国家撇开，这也是不对的。……尤其是德国，他因战败之后，备尝痛苦，想解除不平等之束缚，恢复平等的地位，其努力更是使我们起敬。”

在这里我们十分钦佩，汪精卫真说“老实话”，而

[1]《就寻求与国与团结民众再引申几句话》，二十六年十一月廿七日在武汉市党部欢迎会上之演讲。

且“负责任”了。当然现在事实证明汪精卫是最具“谋国之忠”和“爱国心”的。所可惜的，他的“爱国”主张未能实现，真不胜遗憾而已。

第二，他在事实上便强迫政府采取德、意路线，甚至不惜在参政会上强奸民意，完成这招棋子。同时尽量支持德、意“调停”中日战事，威迫我对敌投降。但他不幸得很，他一切卑鄙无耻的企图都给我们贤明的蒋委员长粉碎了。德大使陶德曼之调解失败于先，后来意大利也想染指，竟被蒋委员长毫不客气的拒绝了。他说中日战事如需调停，也轮不到意大利！

这就是汪精卫在抗战发动后，对于外交问题的“理论与实践”。

*　　　　*　　　　*　　　　*

现在要说到汪精卫民族投降主义在第三阶段的具体表现。

这个阶段的整个形势有些什么基本特点呢？第一，武汉、广州失守后，抗战无论从国内情势和国际环境讲，进入更艰苦更拖长的局面了。但同时第二，全国军民在蒋委员长领导之下坚持持久战的决心更坚固了，对抗战胜利的信心已在更健全的认识基础之上，把握得更紧了。第三，敌人鉴于速战速决之不可得，于是加紧政治阴谋，积极分化我力量；同时开始着重于占领地的经营和开发。

一贯主和的汪精卫在这些新的条件之下，那只有三十六招，走为上招。持久抗战的国策和民意，眼看是反对不了了；更艰苦的环境他是忍受不下了，再加上敌人的诱饵，他便愤然出走，揭破一切假面具，暴露他的真面目：看呀！这位绝顶漂亮的深具“谋国之忠”的“大政治家”，原来只是卖国贼一个！直到这时，他才真正“说老实话”、真正“负责任”了。

于是他公开说：“主和是我对国事的主张了。”这公开的主张见之于去年十二月二十九日的“艳电”，见之于今年四月一日在《南华日报》发表的《举一个例》，见之于四月八日发表的《复华侨某君书》。此外还见之于最近几月来他的广播。这些言论主张之荒谬、卑污与无耻，那简直开人类语言文字的新纪录。他已经从里应外合的内奸，一降而为最卑鄙、最廉价的公开傀儡和应声虫了。所以：

一、敌人主张“建立东亚新秩序”（“近卫声明”），主张“善邻友好”（“日本政府十二月二十二日声明”），他就立即响应，主张“中日两国，壤地相接，善邻友好，有其自然与必要”，主张“今后中国应以善邻友好为教育方针”了（“艳电”）。而东亚新秩序者正如蒋委员长所说，是“推翻东亚的国际秩序，造成奴隶的中国，以遂其独霸太平洋，宰割世界的企图的总名称”。[1]

二、敌人主张“共同防共”（“近卫声明”），汪精卫就立即响应，主张赞成“以日、德、意防共协定之精神，缔结中日防共协定”。主张“中国共产党人……应即彻底抛弃其组织及宣传，并取消其边区政府及军队之特殊组织。……吾人必自动的积极的加以制裁”，以完成共同防共之目的。并进一步主张“在防共协定期间内，在特定地点允许驻兵，至多（！）以内蒙附近之地点为限”，且说“此为中国主权及行政之独立完整所关，必须如此，中国始能努力于战后之休养，努力于现代国家之建设（！）”（“艳电”）。而所谓“共同防共”诚如蒋委员长所说“在我们全国实行三民主义的中国，若再说

[1] 蒋委员长驳斥“近卫声明”训词。

共同防共，完全是无的放矢。我们可以说，他不过是要以共同防共的名义，首先控制我国的军事，进而控制我国政治文化以至于外交”，“实在是借此名义以亡华”！[1] 敌人“这两年的侵略大战，总之一句话是反中国，不是反共”。(《蒋委员长抗战二周年告日本民众书》)

三、敌人主张强化“经济单元”（“近卫声明”），主张“经济提携”（敌政府声明）。汪精卫就立即响应，主张“对此主张，应在原则上予以赞同，并应本此原则，以商订各种具体方案”（“艳电”）。而所谓“经济单元”、“经济提携”，诚如蒋委员长所说，“不仅是要操纵我中国的关税金融，垄断我国生产和贸易，独揽东亚的霸权，他逐渐推演下去，势必至于限制我们中国个个人的衣食住行，都得不到一些自由，生杀予夺，唯其所欲。”[2]

就是这样，汪精卫主张“和平谈判”了。为什么这样“坚决”而“负责任”主和呢？因为他“看透了，并且断定了中日两国，明明白白，战争则两伤，和平则共存；两国对于和平只要相与努力，必能奠定东亚百年长

[1] 蒋委员长驳斥“近卫声明”训词。

[2] 同[1]。

治久安之局；不然，只有两败俱伤，同归于尽”。所以他“希望大家本着独立、不屈不挠的精神干去……往共同生存，共同发达之大路而前进”。[1]好一条中日共存共荣的大道！但实际上日本帝国主义对此已经吹了几年，而且也已经走了几年。当汪精卫荣任行政院长兼外交部长的时候，日使川樾，日总领须磨之类，不是天天夜夜以“中日两国共存共荣”对汪耳提面命么？当敌人已经发动大规模的侵略战了，他不是在天天唱着他“膺惩支那，谋东亚之永久平和”（即汪之所谓“东亚百年长治久安之局”）的老调么？现在敌人又在用枪尖来号召所谓“东亚新秩序”，以和“日、满、支三方面合作为基础”的“东亚共同体”了。于是才使汪精卫不但“看透”和“断定”，而且勇敢地奔上那条“共同生存，共同发达之大路”去了。

但汪精卫请听者：我们“今日之问题，只有研究如何继续，并如何抗战到底，而获取最后之胜利。除战而外，绝无和平可言。故现在主和者，实即中途妥协，投降敌人，皆当以汉奸论之”（陈诚部长六月十日招待渝

[1] 汪:《举一个例》。

市文化界演讲词）。这是我政府的国策。

于是汪精卫答复了："我们的老朋友（？）陈嘉庚说：'言和平就是汉奸！'为什么和平就是汉奸？如此说来，宪法上规定国家有讲和的大权，是规定国家有做汉奸的大权了。'忠、孝、仁、爱、信、义、和平'的匾字，其解释应该是'忠、孝、仁、爱、信、义、汉奸了！'"[1]呜呼！"自从字典上有'和平'两字以来，从没有这样受到垢辱的"了（蒋委员长七月八日对战地民众广播）。

现请汪精卫又听者："我们现在无论南北各战场上前方的士气，和战斗精神的旺盛，实为自开战以来未曾有的好气象。……只要前方后方一致认识国家的危机，万众一心，向着最后胜利的目标，刻苦努力，牺牲奋斗，不懈怠，不屈服，深信必能达到抗战的目的。"（蒋委员长驳斥近卫声明训词）这是我政府的国策。

于是汪精卫又答复了："你又说：'现在我们抗战一天比一天好'，你何所见而云然？……老实告诉你吧，如今抗战实实在在一天比一天艰难了。如何可以说一天比一天好？你难道不知道自抗战以来所失去的地方，其

[1] 汪《复华侨某君书》。

幅员之多，时间之短，历史上宋亡明亡的时候都无其例么？”又说，“自从抗战开始以来，人民出钱出力，受尽流离颠沛，没半句怨言，将士奋勇牺牲，前仆后继，绝无反顾。这是中华民族的元气。日本之所以提出和平条件，未尝不是看重这一点。……此次和平运动如果成功，实实在在是拜一般抗战民众及将士之赐（？！）”[1]

算了！算了！所有这些也已经足够证明汪精卫之曲解、诬辱和撒谎的本领是空前而绝后了。“呜呼，彼真人妖，愿我民族共袚除之，毋为戾气所染！”[2]

汪精卫的民族投降主义之最后的和真正的表现就是这样。

[1] 汪《复华侨某君书》。

[2] 见汪在清末革命时所著《民族的国民》(一)，他在这里是骂康有为的。

四　反民权主义的假“民主主义”

谁都知道，汪精卫一向以民主政治的倡导者自命。而且他的确曾经是个民主主义者，曾经是个小市民的革命民主主义者。这是在什么时候呢？这是在他高呼：“呜呼！我愿我民族实行民族主义，以颠覆二百六十年来之贵族政治！”“呜呼，吾愿我民族实行国民主义，以颠覆六千年来之君权专制政治！”[1]的时候。是在他在革命失望之余，用恐怖手段，暗杀醇亲王的时候。在那时，他有革命的热情和对于民主政治强烈的爱好。西欧民主革命的主流在当时已经消逝了，或差不多已经消逝了。在古老的东方却崛起了民主运动的高潮。中山先生就是这东方民族新生运动的领导者，而汪精卫也是这个运动的热烈支持者。这个运动经过辛亥革命，经过“五四运

[1] 见汪著《民族的国家》（二）。

动”，一直发展到国民革命。这运动的范围是扩大了，它的内容也加深了。汪精卫在这整个过程中是以寒热病的姿态参加的。他在革命艰苦时消极，在环境较好时积极，但大体上还是赞助民主革命的。

中山先生的逝世使汪精卫的个人领袖主义发展到最高峰。客观上革命的发展已经逐渐超过他所能容许的限度，主观上要做全国和全党领袖的野心又那样旺盛。于是小市民的动摇性和向上爬的本能，使他成为彻彻底底的官僚。正像上面所说，中国社会就慢慢地把他从各社会层的圈子里开除出去了。而中国的民主革命在十六年后，也早把他扬弃了。

然而这之后，汪精卫并没有放弃他民主政治的标榜。在他个人的派别小组织里，在初期也还团集一些中小市民区的民主主义分子。不过汪精卫的实际活动却完全证明了：他之所谓民主政治，不过是结合各地方封建力量反对中央，反对蒋委员长的招牌而已。因之他的民主主义已经完全失去革命的本质。西欧的资产民主主义他固然够不上，在历史发展的阶段来讲，甚至连俾斯麦的大统一主义和落后的联邦主义也比他进步呢。这种理论在实践上的表现便是他之结托封建落后力量，反对进步势力，害怕民众，并剥夺人民的自由。

中国民主运动的两大任务，在国内是反对封建残余，对外是反对帝国主义。汪精卫力求与封建势力相结合，这已经破了汪牌民主主义的半边；至于汪精卫和帝国主义，尤其是和日帝国主义的关系那更是人人知道的事情。从“九·一八”以后，汪精卫就干脆地以日本帝国主义代言人自居了。于是汪精卫的“民主主义”就彻底宣告破产。

“西安事变”后，全国精诚团结成为国内政局固定的趋势。当时汪精卫和日、德帝国主义相勾结，想乘机回国，实现其东方弗朗科的统治。结果他在全国拥护蒋委员长，领导国内团结统一，对敌执行抗战的压力之下，失败了。国内的团结和民众的奋发，奠定了最近中国民主政治的基础。这个基础从抗战开始以来是更加巩固了。民众运动日渐展开，出版言论日益蓬勃，特别是国民参政会和省参议会的成立，表示中国民主政治已经逐渐走上轨道。蒋委员长在国民参政会第一次会开幕时，就说明参政会的基本任务，一在加强团结，巩固统一，完成抗战建国大业；一在建立民主政治的基础。

汪精卫是摘取果实的能手。他看到真正的民主运动已在开展，于是就以老牌的“民主政治家”的资格，荣任国民参政会的议长，积极推行他的“民主政治”了。

第一，民主政治的基础当然是民力和民意的发扬。抗战本身要求着全国人力物力的总动员。汪精卫不明白这点么？当然明白的。他说：“抗战不只是前方将士的事，而是全国各地民众的事。民众之努力与否，为抗战能否持久而得到最后胜利之最大关键。所以团结民众，在平时固属重要，在抗战期间，尤为紧急。”[1]又说：“近来敌人每到一处，便急急忙忙组织傀儡政府，即是以此秘诀（按即‘以中国的钱，养中国的兵，来杀中国的人。’而汪逆现在正运用这个秘诀——瑞）为其蓝本。我们如果不以十二分的努力，唤起民众，则此种浩劫，决无可逃。”[2]

汪精卫对于唤起民众的实际做法，人们在“团结民众”已属“重要”的“平时”，已经领教过了。至于战时，

[1] 见《寻求与国与团结民众》。

[2] 汪在廿六年十一月十八日广播：《怎样才能持久》。

他本身既不要战，根本上又怕人民伟大的力量，所以更不消说得。因此他一面虽把团结民众的口号高唱入云，另一面却用各种理由来限制民众力量的发展。当然，汪精卫在这些地方的说法一定又是非常巧妙的。他说："如何才能团结民众呢？有人说道，欧洲大战期间，如英如法，皆是不分派别，一致团结……只要认定国家高于一切，便能团结起来，一致努力。这种说法在国本已定，民主政治已经告成之英、法等国，自然可以行得了。如果在国本正在树立的过程中，民主政治正在开始训练，尚未成熟的中国，今日就不能不再加以考虑了。"[1]再加以考虑之结果，自然不得不加以约束和取消了。

再看他对于热烈的民众运动加以怎样的歪曲和打击。他说，"颇闻有人说道，为什么这次抗战反不如北伐时之处处看见民众大会呢？（我们只听见说，北伐时处处有热烈的民众动员，而不单是民众大会——瑞）欲解答这个疑问，与其说是战况不同，毋宁说是意义不同。北伐的意义，重任在政治，（对不起得很，我们最高领袖指示我们，现在也是政治重于军事，那你将又何

[1] 见《寻求与国与团结民众》。

说！反正你总是反其道而行之就是了。）故热烈宣传最为重要。此次抗战是为国家民族之生存而奋斗（在你是只要自求牺牲，所以只要挺死不动，让敌人来杀头好了！）其意义是人人知道的，故沉着工作较之热烈宣传，更为重要。（汪逆把热烈宣传与沉着工作故意对立起来，谁知热烈宣传之后更能有意识的沉着工作。）”接着他骂人了："可惜那些只唱高调不负责任的人，只晓得民众大会（？）不看见民众的埋头工作，所以会发此疑问。这不值得一辩。”[1]

汪精卫既然实际上并不要团结民众，唤起民众，所以他在国民参政会上对于一部分参政员所提出的“调整民众团体以发挥民力案”，“请中央通令全国军政机关切实保障人民权利案”以及“具体规定检查书报标准并统一执行案”等等案件，就不得不竭力从中阻挠，加以抨击了。

第二，抗战中的民主是以全国精诚团结为前提。在抗战的大目标下，没有各种社会力量，各个民族力量和各种政治力量之合法存在和合法工作，当然就谈不

[1] 汪：《怎样才能持久》。

到民主。中山先生在第一次全国代表大会宣言中关于民权做了如下的解释："民国之民权唯民国之国民乃得享之。……详言之，则凡真正反对帝国主义之个人及团体，均得享有一切自由及权利。凡卖国罔民，以效忠于帝国主义及军阀者，无论其为团体或个人，皆不得享有此项权利。"

很显然的，汪精卫虽然口头提倡民主政治，却决不愿真正实行中山先生的民权主义，决不愿给"真正反对帝国主义之个人及团体""一切自由及权利"。为什么？因为他自身"卖国罔民，以效忠于帝国主义及军阀"，他根本已失掉"民国之国民"之资格，如给人民以真正的民权，他就得被人民撵走。所以他必须挑拨离间，剥夺一切真正反对日本帝国主义的团体与个人之合法权益。在这里他表现得最明显的，就是他遵从其日本主子的命令来"共同防共"，而实际上就是要分化国内的抗战力量，便利日寇的各个击破。

第三，中山先生的民权主义是要叫"人民管理政事"，叫人民有"政权"。[1]要"（甲）实行普选制度，废

[1]《三民主义演讲集》，《民权主义》第一讲，页二。

除以资产为标准之阶级选举；（乙）以人民集会或总投票之方式，直接行使创制、复决、罢免各权；（丙）确立人民有集会、结社、言论、出版、居住、信仰之绝对自由权”。[1]但汪精卫却要我们效法德、意，用假的民主主义，来实行真的法西斯主义。

汪精卫之在外交上主张德、意路线决不是偶然的。他渴慕着德、意现行的统治状况。他想做希特勒的好徒弟。他说“德国，他因战败之后，备尝痛苦，想解除不平等之束缚，恢复平等的地位，其努力更足使我们起敬”。[2]但我们都了解，法西斯主义是金融寡头最残酷最野蛮的统治，国社党的德国只是蒂森（Thyssen，德最大金融资本寡头）的王朝。它并没有使人民真正解除不平等之束缚；正相反，他们所受的束缚和压迫更多更严重。所以希特勒的统治只使全世界人民（连德国人民在内）栗栗危惧，并没有肃然“起敬”。真正对它“起敬”的只有弗朗科、汉伦和汪精卫之流而已。但最后请汪精卫注意者，在四十年代的中国，无论你怎样努力，

[1] 民十二年初国民党宣言。

[2] 见《寻求与国与团结民众》。

是行不通希特勒的法西斯主义的。姑不论中国根本没有强大的金融资本，中国伟大的民权运动的传统，尤其是目前的民族革命战争也已把一切移植法西斯主义的根源彻底铲除了。汪精卫如果真要在中国或者在上海虹口饭店试行其法西斯主义，那至多只是日本军人法西斯主义在殖民地的延长，而且就是这个延长也只能是昙花一现而已。

这就是汪精卫的反民权主义的假民主主义之真相及其可能的前途。

五　反民生主义的“猫哭老鼠”主义

汪精卫相信不相信民生主义呢？在他主观上当然是不折不扣“相信”的。而且从抗战爆发以后，他似乎显得特别“相信”民生主义。他也跟着一般人在讨论民生主义是不是资本主义的问题。他也极端主张在抗战时期应该“根据民生主义来实行计划经济，使重工业归之国营”。[1]等等。而且汪先生是有情人，他一提人民的生活，就要“下泪”的。比如他在湖南地方干部学校演讲时，就说：“一提到民生主义，我们就悲从中来。我们现在看不见民生，而只看见民死。……大多数人民都是无以为生而死。我们看到城市的情况，已经满心难过，看到乡村中的情况，更难过百倍。”

眼泪汪汪的好心人儿呀！但请不要着急，“落红不

[1] 汪：《地方行政与抗战建国》，在湖南地方干部学校之演讲辞。

是无情物，化作春泥更护花！”（汪诗，见《民族的国民》其一），你提出你的办法来好了，何必春愁如此呢。

于是我们来看汪精卫的“民生主义”政策。

开头当然先得把那些错误的主张辟掉呀！所以他说：“我们要根据民生主义的计划经济而努力。说到这点，我们要说明一句：就是这话决不是有一类人所唱的改良人民生活，改良士兵的生活的口号。我们固然很想改良士兵生活，人民生活，但这不是自想可以有效，我们不能以空空洞洞的口号来自欺欺人。我们要有切切实实的办法方才可以说得到，做得到。”[1]

那么什么是切切实实的办法呢？凡事总要从那些人们已经真说“老实话”，真已“负责任”的时候起，才能找到他们说到做到的切切实实的办法。根据这个定理，我们就不得不从汪精卫出走以后的言行中去找他的“民生主义计划经济”纲领。下面就是：

【纲领一】中日经济提携——【说明】“经济提携，此亦数年来日本政府屡曾提议者，吾

[1] 汪：《地方行政与抗战建国》，在湖南地方干部学校之演讲辞。

人以政治纠纷尚未解决，则经济提携无从说起。今者日本政府既已郑重阐明尊重中国之主权及行政之独立（？），并阐明非欲在中国实行经济上之独占（？），亦非欲要求中国限制第三国之利益（？），唯欲按照中日平等（？）之原则，以求经济提携之实现。则对此主张，应在原则上予以赞同，并应本此原则，以商讨各种具体方案。”（“艳电”）[1]

我想具体方案中应该先是汪先生的“重工业归之国营”，让日本政府可以先握中国经济的命脉。

一向主张民主政治的汪先生，能让我们有几分批评的自由么？如蒙允准，那么我全国人民都将这样讲，而且也只有这样讲：敌人所说的经济提携或“所谓经济集团，不仅是要操纵我中国关税金融，垄断我国生产和贸易，独揽东亚的霸权，他逐渐推演下去，势必至于限制我们中国个个人民的衣食住行，都得不到一些自由，生杀予夺，唯其所欲，整个的使中国民族做奴隶，做牛马，

[1] 文中的问号，均为作者所加。——编者注

在鞭笞吮吸之下，整个消灭我们民族的生存。”（蒋委员长驳斥近卫声明）所以你的“民生主义”政策是民死主义政策，是敌存我亡的政策。

【纲领二】立即求和，挽救生灵，保全民生。——【说明】“自从抗战开始以来，人民出钱出力，受尽流离颠沛。”“你身在海外，所见的只是文章词藻，以为有了这样抗战到底的秘诀，自然抗战一天比一天好。可是在内地所身受的人民，其痛苦是怎样？”[1]“二十个月的苦战，日本的消耗，不为不大，中国的牺牲，不为不重，两败俱伤，同归于尽的一条路，与共同生存共同发达的又一条路，明明白白，摆在面前，两国有志之士，难道怵于一时的祸福毁誉，而徘徊瞻显，不敢显然有所取舍吗？”（《举一个例》）

为要执行这个策略，所以汪逆在港沪的机关报和机

[1] 汪《复华侨某君书》。

关刊物都在宣传抗战时民生的疾苦，描写得使人一看就“悲从中来”。

一向主张民主政治的汪先生能让我们有几分批评的自由吗？如蒙允准，那么我全国人民都将这样讲，而且只有这样讲：“在敌国已经宣布东亚新秩序狂论以后，很明显的他对我们中国除了要整个灭亡，成为他的奴隶以外再没有和平的余地了。我们对于敌人今天也只有胜利，只有完全达成我们抗战的目的。除此以外，亦决没有其他第二条可走的道路，否则中途投降，就是汉奸的和平，换句话说，就是奴隶的和平。”（《蒋委员长抗战二周年纪念日告全国军民书》）。“人家可就不能不看透你们的假面具，知道你们猫儿哭老鼠，其实可笑！”（吴稚老《进一解》文）

这就是汪精卫的反民生主义的猫哭老鼠主义的两大纲领。汪逆一面为虎作伥，主张中日经济提携，让敌人整个断绝中华民族的生存；另一方面却假仁假义，同情民众疾苦，实际上也要借此来煽动我国民众，对抗战不满，对政府不满，在敌人的分化政策之下，结束对敌人的英勇抗战。这就是汪逆猫哭老鼠主义的本质。

古今中外一切最毒辣的反革命分子，口头上总是涂着革命的粉墨的。这本不是汪精卫的新发明。在一百多年前法国的卖国贼梯亥尔口口声声以“工人的解放者”自命，结果出卖了巴黎。二十多年前苏联的卖国贼煽动喀琅施塔得（Kronstadt）[1]的叛乱，以图推翻政府，投降帝国主义干涉军队。现在的汪精卫由于那些“左”的阴谋家之帮助，自然可以更技巧了。你听他们漂亮的“革命的”词藻吧：“国民党今日应和，犹昔俄国布尔什维克之应和。列宁对《布列斯特和约》之解释是：如果和德国火拼下去，俄国不一定亡，但共产党的政权则必亡。我们现在如果再和日本火拼下去，中国也不一定亡，但国民党的政权则必亡。”[2]多么有力的煽动口吻呀！好一个伟大的中国的列宁——汪精卫先生，他比起那自称为“工人解放者”的法国梯亥尔先生来自然又“伟大”和“革命”得多了。

---

[1] 喀琅施塔得，列宁格勒即圣彼得堡西部的海军要塞。——编者注

[2]《续和战问题之讨论》，《南华日报》社版，页一七。

六　卖国三部曲

我们对于汪精卫反三民主义的反革命的卖国理论已经粗粗做了一番检讨。现在这结论部分我们要扼要地分析汪逆卖国行动的过程及其必然的前途。

汪精卫的全部卖国过程是个喜剧性质的三部曲。这三部曲中，第一部的主角是奸细，第二部的主角是傀儡，第三部的主角则是一具死尸。现在的汪精卫正在由第二部曲得意地过渡到第三部。

从“九·一八事变”起，日本帝国主义对华的政策就从以华制华的分裂政策，发展而为企图不战而胜的蚕食政策。在这时期，敌人的侵略从经济的侧重到政治的，而我们的汪精卫先生就从那时起变为日本对华实施政治侵略的适当工具。敌人利用他在党国的声望，利用他的唯利是图和不坚定性，利用他的领袖欲和排他性，再则利用他轻巧的政治手腕和雄辩的口才，满想在中国造成一个汪系的亲日政治组织，正像希特勒在捷克苏台区造成的汉伦党一样。同时在全国范围内，敌人则想透过汪氏这样一个负责人的地位来间接控制中国的一切。

这时期整个局势的特点如下：（一）敌人在那时尚在积极准备战争的阶段，所以对于中国主要为实行政治侵略，扩充特务机关活动；对其他列强在华利益虽尽量排斥，还不敢公然挑衅。（二）在我国内，内战尚未停止，民众虽有反日救亡运动，但这尚未形成国策之决定部分。在这种情势下，汪精卫的亲敌政策，通过较隐藏的方式，发挥了极大的作用。这个政策一方面助成了该阶段敌人以政治为主的侵略政策，另一方面严重地阻碍了抗敌工作的准备和发动。

谁都应当肯定，汪精卫在那个时期已经开始了他的卖国活动。

“七七事变”一起，局势就根本变动了。第一，敌人的侵略已经以军事进攻为主。第二，我国已发动了抗战。日本帝国主义慢性蚕食的局面，和中华民族的忍气吞声的局面，一变而为中日公开斗争的局面了。敌人一开始就采取了以强吞弱的传统方针——速战速决的战略方针。他想很快地占领我主要城市，歼灭我战斗主力，用挑拨离间，制造傀儡的办法，来瓦解我们的抗战阵营，消灭我们的战斗意志。一句话，要想一战而胜中国。

在这时候汪精卫面前有两条路。一条是站在全国军民一边，坚决对敌抵抗。另一路是站在敌人一边，阴谋阻挠我抗战。而汪精卫者，毕竟是一个毫无社会根基的泡沫，当全中国人民无论哪一个阶级都参加民族抗战的立场的时候，他和另外一些中华民族的渣滓和蟊贼，便潜伏在抗战的阵营内，阴谋破坏，从中捣乱。一句话，他从那时起，就想做中国的汉伦和卡萨陀。或者等而下之，他完完全全以一个最卑鄙最无耻的奸细的姿态活动了。

汪精卫的阴谋卖国已经跟着日本帝国主义对华侵略方式的改变，采取了不同的方式。他已经再不是做某种政治的工作，而是纯粹做日本帝国主义的奸细活动了。他已经再不以某种政治派别（如他以前所领导的那种派别小组）而活动，而是以完全执行日本军阀和特务机关指令的敌探内奸的领袖资格而活动了。对于这种变化，我们是要严格指出的。什么叫做某种政治派别的政治工作呢？这个政派有其一定的政治立场和纲领，同时敢于在全国人民面前宣布这种立场和纲领，取得人民的信仰，或叫人民去执行。这种立场和纲领尽管错误百出，或极不健全，但是他们并不怕向人民宣布。在“九·一八”前后汪精卫的活动虽然已经失去了全国国民的信仰，但还不失为一种政治的活动。

但“七七”以后的情形就完全不同了。一面日本帝国主义的公开军事行动已经不允许汪精卫再堂堂正正做亲日的政治运动，另一面中国全国军民在蒋委员长领导之下，进行坚决的对敌抗战，更不让汪精卫有作公开亲日运动的余地。于是汪精卫就在全国人民面前隐藏起来，遮盖着自己的真正政治面目，暂时不“说老实话”，处处顺风转舵，跟在人家后面讲话，人家说长期抗战，则颂扬之，人家要精诚团结，则讴歌之。他生怕自己的政治面目给人们发现，就立刻要给人民大众当作奸细来撵走。

这就是汪精卫在其卖国的第一部曲中所演主角的真相和本质。

但不幸得很，汪精卫的第一部曲却跟着日帝国主义第一期对我作战的失败而失败了。敌人速战速决的方针，没有成功，同时又因为不能和不愿真正长期作战，所以就用速和速结的办法，劝诱我国向他中途投降，求得“汉奸的和平，奴隶的和平”。此后的情势就有下述的特点：

第一，敌人占领地区扩大，战线极度延长，所以就采取以经营敌后为主，相机进攻为辅的新方针。具体说来，就是（一）积极经营我沦陷区域，开发经济，建立傀儡组织，收买我民心，利用我国人力物力，还击我们的持久抗战。（敌人口号所谓“以战养战”，“利用现地物资树立百年战争”；发动“长期战及国家总力战”，[1]及“持久战非中国专卖品”等，均指此而言。）（二）利用汉奸卖国贼，挑拨我内部的团结，使我抗战力量瓦解，造成不议而和的局面。（三）军事上看国际情势的缓急，自身兵力的分配，以及我方之弱点，相机作跳跃的进攻。

第二，英、美、法、苏等友邦仍支持我们抗战。资本主义列强虽并未采取积极的反日政策，但在现有情况

[1] 见敌陆军省纪念“七七”两周年小册。

下，还不愿并不能完成调停中日战争之企图。英、美、法对中国决不愿像英、法在西班牙一样，制造米亚哈及卡萨陀一类的投降政府，拱手让给日本。

第三，我全国抗战到底的意志越加坚决，抗战的力量越加强大，团结统一的局面日趋巩固，这使得敌人几乎无隙可击，汉奸几乎无地自容。

这就是汪精卫在去年脱离重庆前后的实际处境。中国人民一向是宽大为怀的，所以在这样的中华民族之前，汪精卫实在还有两条路可走。一条是痛改前愆，彻底悔悟，追随蒋委员长和全国军民，戴功赎罪。第二条路，就是溜之大吉，公开去做傀儡。而汪精卫者毕竟不仅是毫无社会根基的泡沫，而且是毫无民族根基的赘疣。他舍大路而不走，就去奏他的卖国第二曲——居然粉墨登场，做傀儡去了。

汪精卫目前的傀儡活动，当然是前一阶段奸细活动之继续与扩大，但这两种活动方式毕竟有所不同。不错，奸细活动同样是无固定政治面貌和无原则的行动，但傀儡的活动比之于奸细当然更无耻了。这里主要的区别如下：

一、傀儡活动表示奸细活动已经不能再进行的一个阶段，因此他虽然更鄙劣，但从本质上讲是更脆弱，更无力了。

二、傀儡活动不同于奸细活动，他已经是公开的卖国，所以无论在国外和国内取得同情的可能更小了。

三、但同时必须注意，汪精卫之公开卖国并没有减弱他的奸细活动，他在国内外正布置这种阴谋机关，扩大其原有内奸和敌探工作。

四、汪精卫公开卖国以后，因为敌人采取新的政策，其危害民族国家的活动范围已大大扩充。首先他必须完成统一的中央傀儡政权，必须建立名义上统一的伪军。不但这样，他还要积极开展其分化我内部力量的阴谋，破坏我精诚团结，削弱我战斗力量，以完成敌人的新策略。他要组织他的汉奸党（名义一定很漂亮），包含一切奸细、托派分子（这组织已在日方特务机关指示下开展）。

五、最后汪精卫的奸细集团扩大而为汪逆的傀儡集团，必然地会使汪精卫实际上成为实施恐怖手段的暗杀集团的首领。现在褚逆民谊在上海所主持的所谓“反共

(？) 救国（？）特工指挥团”，就是这一组织的雏形。这个组织将直接受日帝国主义特务机关的指挥，执行其暗杀我抗战有力人物的任务。

总而言之，汪精卫在目前已经公开地自己宣传为卖国匪徒的头子了。这就是汪精卫在其卖国的第二部曲中所演主角的真相和本质。如果在他当奸细的时候，我们对付的办法应该是群起而攻之，驱逐他出境的话，那么当他做公开卖国贼的时候，我们对付的办法当然只有通缉他消灭他了。

但汪精卫要公开做傀儡，做中国的弗朗科究竟能不能成功呢？是不可能的。为什么？因为：

第一，汪逆本人及其党羽的力量，如和弗朗科相比，那简直太差了。他既没有军队，又没有社会基础，干脆的讲，他没有像弗朗科那样有反动的实力。

第二，敌人不容易有个安全的占领地带，让汪精卫来当现成的傀儡。因为我们沦陷区的民众和游击队不容他这样做。此外，敌人也未必一切专相信他，汪精卫要想做王克敏、梁鸿志等大汉奸的头子还是不容易。

第三，我们全国军民不让他做成弗朗科。我们抗战到底和精诚团结的国策是神圣的。只要我们继续抗战，巩固团结，汪精卫不仅做不成了不起的傀儡，他之“为敌人殉丧”是无疑的。且让我们的蒋委员长再度来严词斥责，送他入棺吧：

> 在过去抗战两年中，军事外交等等一切的经过，都是我们处于主动，敌人几乎是步步都随着我们所预计的而自陷于罗网和失败之中，敌人愈挣扎愈错误，我们愈持久愈坚定。其中最关重要的一件事，就是去年十二月廿二日敌相近卫的“声明”。自从我们抗战进入第二年之后，敌人没有一天不求速了战事，但他所用的方法，并不从彻底觉悟前非，根本放弃侵略入手。乃是因不能速战速决，而希冀速和速结，并且要想用最阴险最卑劣的手段，用比较过去对朝鲜还要狠毒还要凶恶的办法，根本上想来彻底吞灭我们中国。他这个狡计毒谋，我在当时已经有详细的驳斥，我们军民必定已透彻明了。他这一个尝试的失败和他的阴谋被我

揭破是敌国一个最大的打击，也是他最近彷徨无计日趋穷途末路的一个大关键。但是这一个妄念，他到如今是依然没有打消的。他已经揭布出来了的“东亚新秩序”的口号，是不能收回的。所谓“东亚协同体”和“兴亚院”等等一套，是明知失败，而不肯放弃的。敌人此心未死，余波未息，这一个运动，必然还要继续的演下去。我们一意抗战，本来不值再提。所最堪痛心的，乃居然有无耻之徒，响应这个亡华灭华的声明，公然做背叛党国出卖民族的行为，虽然已经受到了举国民意的痛斥和国法的制裁，终不能不说是我们抗战期间一个最大的污点，更是多少先烈在地下不能瞑目的一个最大的遗恨。老实说，这些汉奸的所谓“和平运动”，实在是亡国运动，如果敌人和汉奸得遂其毒谋，那么“东亚新秩序”建立之日，就是我中华民国灭亡奴隶地位确立之时；“东亚协同体”成功之日，就是中国实行归并于日本之时。在敌国已经宣布“东亚新秩序”狂论以后，很显明的他对我们中国除了要整个灭亡成为他的奴隶以外，再没有和平的余地了。我们对敌人今天只有胜利，只有完全达成我们抗战的目的；除此以外，亦决没有其他第二条可走的道路，否则，中途投降，就是“汉奸的和平”，换句话说，便是奴隶的和平，灭亡的和平。除非存心出卖整个中国的汉奸，决没有人再来否认这一个事实，本来在去年年底，我们抗战二期开始，内外形势，显然好转，胜利目标，即在眼前。这些汉奸们，却要在此紧要关头，破坏抗战，想以无耻谎言，欺骗民众，动摇我们同胞对于抗战的信念，陷害我们浴血苦斗的将士，抹煞我们全国军民殉国殉难无量数牺牲所造成的功绩，陷了本国，去解救敌国。我们翻遍历史，实在找不出这种丧心病狂、寡廉鲜耻、忍心害理的先例。实在说起来，敌人宣布一套“东亚新秩序”实在不仅是对中国下毒手，也无异于向世界宣战，无异宣布与全世界为敌。敌人的心中意中何尝有想到丝毫的和平，这些

汉奸们却不想敌人是已经自掘了坟墓，葬了自己，却要背叛国家甘心为敌人殉葬。(《抗战二周年纪念告全国军民书》)

“汪精卫已经死了，但他还没有躺下去。”而我们这一民族巨人的怒吼，必然将引导着我全国军民“以铭心刻骨的哀愤，咬牙切齿的坚忍，如火如荼的朝气，排山倒海的力量，淬厉奋发作殊死战，完成捍卫国家，驱逐暴敌，复兴民族之大业。”（同上）而把这些无耻汉奸的死尸打得躺下去。

这就是汪精卫在其卖国第三部曲中所演主角的真相及其必然的前途。

现在汪精卫这幽灵还在得意地唱他的第二部曲。他在粪秽中度着他的狂欢节。他正继承着古今中外一切卖国贼的无耻与卑污，进行其鼓励外敌侵入，掀起内乱[1]和破坏后方秩序的大阴谋。他要建立起外国奴隶主在中

[1] 如吴稚老所引陈璧君在沪谈话：“我们不惜起个内乱。推倒他（按指蒋委员长），和成了，就让汪先生出来组织中央，国就不亡。”又汪《答华侨某君书》中有云：“一旦不幸到了 ××× 的时候，我还有希望名正言顺出来收拾。”

国独占的血腥统治。他到现在已经无所谓理论了，他也根本用不到什么理论了。假如他还有所谓主张，那只是日本强盗的血淋淋刺刀，上面刻着“昭和十四年制”等等字样。而我们必然能用全民族的持久的无敌的斗争来粉碎这位幽灵的魂魄的。阿门！

附 录

（一）

国民党“永远开除汪逆党籍的决议”

（中央社讯）国民党中央执行委员会常务委员会，于昨日下午三时半召开临时会议，出席常务委员冯玉祥、李文范、居正、丁惟汾、邹鲁、孔祥熙、孙科、陈果夫、于右任、叶楚伧、何应钦、戴传贤，列席执行委员焦易堂、陈树人、蒋伯诚、洪兰友、洪陆东、甘乃光、萧同兹、王陆一、钱大钧、吴忠信、何键、方觉慧、何成浚、林翼中、夏斗寅、萧吉珊、徐堪、梁寒操、傅秉常、陈绍宽、刘纪文、陈诚、梅公任、张道藩、王法勤、朱家骅、张群、陈布雷、周启刚、戴愧生，候补执行委员赵棣华、朱霁青、王用宾、王懋功、陈访先、赵允义、罗家伦、张贞，监察委员蒋作宾、林森、覃振、王子壮、贺耀祖、杨虎、吴敬恒、林云陔、张继、姚大海、邵力子、王宠惠，候补监察委员闻亦有狄膺、刘文岛、王世杰、李次温等。由总裁主席，讨论关于汪兆铭违反纪律危害党国一案，经决议“汪兆铭永远开除党籍，并撤除一切职务”。同时中央监察委员会亦召开临时常委会，通过上开决议，其全文如下：

“中国国民党开除汪兆铭党籍决议文：汪兆铭承本党付托之重，值抗战紧急之际，擅离职守，匿迹异地，传播违背国策之谬论，艳日来电，竟主张以敌相近卫根本灭亡我国之狂悖的‘声明’为根据，而向敌求和，一面眷之报章，广为散发，以建议中央为名，逞摇惑人心之技，而其电文内容，尤处处为敌人要求曲意文饰，不惜颠倒是非，为敌张目，更复变本加厉，助其欺蒙。就其行为而言，实为通敌求降，充其影响所及，直欲撼动国本。我国为救亡图存，发动抗战，百余万将士之死伤，数百万同胞之牺牲，惨痛深切，无非欲根本消灭敌人侵略之毒计，以永保我国家民族世代永久之生命。年余以来，国民则精诚团结，将士则踊跃用命，万众一心，咸集中于本党总裁蒋委员长领导之下，坚毅不屈，有必达胜利之自信。今敌人谋我之野心益彰，伎俩益毒；即吾全国之敌忾愈切，决心愈坚。汪之所言，不但为中央所痛绝，实亦为全国民众所不容。查战争期间，任何国民，绝对不得违反战时国策之决定，而自作主张；本党纪律，更绝对不许逾越党的正式决议，违反党的规则，而以个人发表其意见。汪兆铭此种行动，其为违反纪律危害党国实已昭然若揭，大义所在，断难姑息，即予永远开除其党籍，并撤除一切职务，借肃党纪，以正视听。我国民须知，抗战决胜之最要关键，唯在意志统一，精神不贰。我民族在昔迭遭外患，如宋如明，固仅为一姓一家朝代之溃灭，而非为我民族之覆亡，然其致败之源，则皆由当时朝廷少数奸邪精神慑服，天良丧尽，以致灭亡，决非民气与国力之不能抗敌也。故今日抗战，非整肃纲纪，不足以振作精神，非袪除携贰，不足以战胜强寇。综观敌人最近之毒计，实欲威胁我精神，而导我于分裂覆亡。本党深知我全国同胞民族意识普遍发扬，春秋大义，深入人心，只须坚定不移，奋斗不屈，严守国策，统一意志，最后胜利，自必实现。今后抗战国策，一以本党总裁上月二十六日在中央纪念周所发表之演词为唯一标准，愿我全国同志及将士同胞，本此意志，悉力以赴；其有背越斯旨之一切言论与行动，皆为国家利益与法纪所不容，必与国人共同摈弃，以保持战时意志之严整，而完成我三民主义革命救国之使命。”

国民政府通缉汪逆令

（中央社）国民政府二十八年六月八日令：汪兆铭违背国策，罔顾大义，于全国一致抗战之际，潜离职守，妄主和议，并响应敌方谬论，希冀煽惑人心，阻挠大计，经中央加以惩戒，犹复不自醒悟，倒行逆施，竟于上月秘密赴沪，不惜自附于汉奸之列，与敌往还，图谋不轨，似此通敌祸国之所为，显属触犯“惩治汉奸条例”第二条之规定，比来海内外民众同深愤慨，先后呈请通缉严惩者不下千余起之多，政府如尚曲予宽容，某何以伸张国法，慰我军民，应即由全国军政各机关一体严缉务获，依法惩办，以肃纪纲，此令。

蒋委员长与中外记者谈话驳斥汪逆谬论

四月十七日中央纪念周后，有中外新闻记者多人，询问蒋委员长以下列问题，兹记其问答如下：

（记者问）**现在还有人说近卫“建立东亚新秩序”的“声明”，可以作为中日和平的根据，而不认其为亡国条件的，委员长对此，以为应作如何处置？**

（**委员长答**）“建立东亚新秩序”，就是日本并吞中国的新名词，我在去年十二月二十六日演讲中，将敌国的侵略野心，已经详加分析，无待烦言。若以近卫的“声明”，可认为是可和条件的“和”字来解释，那字典中就不必再要投降的“降”字了。这是无耻之极的笑话，不但今日不会有此事，且亦永久不会有此事。中国抗战的目的，是为了保卫整个民族的生存独立与自由，这个目的一天不能达到，我们的奋斗一天不能停止。现在战局愈延长，日本的弱点愈暴露，而他的野心亦更显著，这就是所谓“图穷匕现”的道理。看了日本军阀的行动，谁也可以知道他们是要夺取我们整个民族的生命，使我们永久做他们的奴隶，近卫所谓“建立东亚新秩序”，就是日本要独霸东亚，不仅要消灭中国，而且是要消灭各国在太平洋一切势力的毒计。日本的侵略欲，与时俱进，而中国对于日本野心的进展，亦认识得愈加清楚，所以我们抗战的意志，也愈加坚强。在这种情形之下，绝对无和平的余地，绝对不是什么巧佞虚伪的投降理论所能动摇我们全国的决心于万一。对于这种无耻之极的主张者，我以为照我们中国的道理、道德和良心制裁的效力，要大过法纪制裁的效力，这种人在精神上已经自己宣告了死刑，实在值不得一提，至于国家的处分，要看他以后的行动如何再定。

（问）请问中日战争究竟怎么样才可以解决呢？

（**答**）这个问题，要看以后事实的演进怎么样，现在我们抗战只有二十二个月，还不满两年，而日本第一等国的国际地位，已经被我们抗战压低到第二等国的地位上去了，如果我们再加紧的抗战下去，就照过去的事实来说，我相信不久的时期内，必会使他现在二等国的地位，亦站不住了。这样一方面他的国力更竭蹶，地位更低落，一方面也要由我们充实自身的力量，达到有利的时期，有利的地形，给他一个致命的打击，使他真正认识中国抗战的力量，才有产生和平的希望。我相信这不但是可能的，而且只要我们努力，这个时期的到来，一定是很快的。除此以外，如果要想中日间恢复和平，那就除非日本军阀有彻底的觉悟，自动的放弃侵略，将他们传统政策根本改变不可。若是他们根本不放弃侵略政策，不能根绝他们所谓“东亚新秩序”的梦想，那么不特中日战争绝对没有结束的可能，而且东亚也永久没有和平的时候。今天凡是中华民族稍有心肝的黄帝子孙，无论他的知识程度如何低下，也决不肯说近卫的“东亚新秩序”不是吞并中国的亡国条件。敌人的野心和中国人民的认识，已经明白到这样地步，如果还有人辩解“近卫声明”不是灭亡中国的条件，而以为还是可和，这不是求降卖国是什么？干脆说：这种人不但不惜以汉奸自居，简直是甘心作日本的奴隶了。

（问）今后战局将如何演变，中国是否仍照原定的长期抗战的战略贯彻到底？

（**答**）我在五年前曾有一篇《抵御外侮和复兴民族》的演讲，讨论到中日发生战争时我们抗战的策略，诸位只要看我那一篇演讲，就可以知道我们今天所用战略。是五年以前，早已决定了的，我们决不改变“以空间换时间，积小胜为大胜”的整个战略与一贯的政策。我们当时就决定不战则已，既战则必须贯彻到底，即使全国各地完全失陷，我们也有把他恢复转来的把握和自信。那时我们从最不利的情况着想，曾经下定最后的决心，当时的预计，以为敌人要费十八个月的时间，才能进犯到我们十八个省份，现在我们抗战已经二十二个月，我们依然能保持着许多完整的省份，即使已经被占的省份，亦不过沦陷了几个省城据点，在那些省份内，所有的土地和人民，仍旧在我们军队势力范围掌握之下，敌军不仅毫无所得，而且他正在照着我们预定的计划陷入泥淖，踏入崩溃的道路，以后就要随时随地，受我们最后致命伤的打击。所以我们今天在抗战整个的局势来说，决不能以几个省城据点的得失，来观测抗战最后的成败，大家明白了我们一贯的政策及整个的战略以后，就不再会被那些为敌张目的无耻汉奸理论所欺骗了。（中央社）

蒋委员长抗战二周年纪念告全国军民书痛斥汪逆

全国的将士和同胞们：

今天是我们抗战第二周年纪念日，比之去年今日，战区更扩大，战斗更剧烈；我们全国军民牺牲卫国的意志更坚强更勇锐；敌阀的弱点，一天天的更显露，因之，他穷凶极恶的挣扎更横肆更狂暴；他的诡谋毒计，也更层出而不穷了。我们这一战，本是捍卫独立生存维护公理正义的一战。革命战争无时限，我们一定要贯彻我们抗战建国的目的，我们一定要排除千艰百险，向着最后胜利的目标而前进；我们想到殉国先烈的悲壮牺牲，前方将士的英勇劳苦，无数民众的流离颠沛，受难同胞的悲愤痛切；我们对死者哀悼，就要不忘后死者的责任；我们认识整个民族的痛苦艰危，就要我们每一个人立志奋发，来雪此奇耻大辱，完成神圣的使命，临到这一个悲壮伟大的纪念日，中正要向全国的将士和海内外同胞简单致词。

去年七月七日，我曾经对我全国军民解释抗战的形势和前途，指出我们应有的任务，凡我已说的话，今天不再重说；但是依然足以供我将士同胞反省的资料。我要求我全国军民，再把这一篇书告，重新阅读一遍，拿当时所说的话，和一年后今日的实况，对比一下，更可证明我之所言，历历不爽。先就我们自身来说，我们这一年，经过了好几次磨难和试验，但我们的意志，确是愈战愈坚强，愈久愈坚定；我们全国人民的精神意志和行动，都在三民主义之下，更彻底统一起来了，整个民族都甘心为抗战而效死，为完成国民革命建立三民主义的国家而努力；对国家有中心的认识，对前途怀着无限的乐观，举国一心，向前奋斗，虽肝脑涂地而不辞。我们战场上的战果，较之前期抗战，是更增加了；敌后的活动，较之前一年，更勇锐灵敏了，一切抗战建国工作的效率，是增进了，尤其一般同胞对抗战意识，更提高，更坚毅了。最近敌人势穷力竭，到处滥炸我们的都市，焚烧屠杀我们的人民，结果只是加强了我们的敌忾心和抗战到底的决心。总括一句话，我们多少的缺点，已有相当的补正，我们军民一致的努力，实在是比之上年有进步，这是中正以统帅的地位，所应当为国家民族感奋而欣慰的。

再就国际方面来说：一年前，各国所顾虑避忌的“盟约十六条”的适用，是在这一年中通过了；国际联合会确定敌国为“侵略者”了；全世界各友邦政府和人民公私团体，或是反对侵略，或是实行援华，或是捐赠物品，接济医药，或是拒运日货，或是拒绝购买敌人的物品，都在这一年中表现的更踊跃了；理解我们，同情我们的人数，十倍百倍的增加了；若干友邦和我们的关系，更进一步了；物质交通和技术上的援助，更积极公开，而再不有所瞻顾了；不但对我们的同情一天天的浓厚，而且对敌国的厌恶和反对，也一天天的显著了；我们固然感奋于全世界友邦政府和民间，对我们的嘉惠，但是我们尤其欣慰的，是公理正义力量的日见抬头。

再来看看敌人的情形怎么样：首先要提出来告诉我们同胞的，就是敌人自从“芦沟桥事变”起，到去年七月七日侵入我们国土，它总共进展了一千八百公里，但从去年七月七日到今天，这一年之中，只是进展了三百一十公里，在一样的时间之内，它还加上了几倍的兵员，所得的战果，反要比前一年减低了几倍，那么他兵力的疲惫，衰退到如何程度，就不待我多所引证，而可明白了。这亦就可以证明我们的胜利到来，是更接近了，据敌人自己在本年三月以前所公布的各种报告，他这两年中侵华战役的伤亡总数在一百万人以上，而这伤亡人数到现在，是累比的增加；虽然他们在这三个月之中，死亡了这许多人，但依然是毫无进展，各地的所谓“扫荡”遭遇到我们更强烈的“反扫荡”，他们所自夸的“四月攻势，五月攻势”的成绩，是大家所了然的；这是单就前方军事来说，若在军事以外举其荦荦大者，在今年春初他们所自夸为唯一战时内阁的近卫是站不住而倒台了；经济方面，罗掘俱穷，失业更增加，农村更疲敝，物价逐步飞涨，存金已告罄绝了；在精神方面，反战思想日益普遍，国内大学教授知识分子，成千成百的被检举被囚杀，不但国内如此，连在中国的部队，也时时由反战的酝酿而到处有反战的行动了；在外交方面，他更是一天天的陷于孤立危险的境地，他想攀附德、意，增加声势，但因实力日弱，受到对方的鄙弃，却又想用不加入德、意同盟的空话，来欺诈民主诸国，欺诈不遂，于是又想在天津滋事，对英国无理取闹，我们可以预想得到他末路穷途必然还有继续不断挑惹恫吓的行动，要施展出来；我们可以断言，他过去对国际上威胁利诱的政策，显然都是失败，今后还要趋于最大最后的失败；敌人今天的疯狂状态，日益加紧，这就是他苦闷无路、冒险侥幸心理的反映，亦就是他自知末路已到无可救药，因而饮鸩止渴，苟图一快，自速其亡罢了；敌人到了今日，不单是受到全世界的鄙弃，而且他遭遇到全世界膺惩的日子也不远了。

在过去抗战两年中，军事外交等等一切的经过，都是我们处于主动，敌人几乎是步步都随着我们所预计的而自陷于罗网和失败之中。敌人愈挣扎愈错误，我们愈持久愈坚定，其中最关重要的一件事，就是去年十二月廿二日，敌相近卫的“声明”。自从我国抗战进入第二年之后，敌人没有一天不求速了战事，但他所用的方法，并不从彻底觉悟前非，根本放弃侵略入手，乃是因不能速战速决，而希冀速和速结，并且要想用最阴险最卑劣的手段，用比较过去对朝鲜还要狠毒还要凶恶的办法，根本上想来彻底吞灭我们中国，他这个狡计毒谋，我在当时已经有详细的驳斥，我们军民必定已透彻明了；他这一个尝试的失败，和他的阴谋被我揭破，是敌国一个最大的打击，也是他最近彷徨无计，日趋穷途末路的一个大关键；但是这一个妄念，他到如今是依然没有打消的，他已经揭布出来了的“东亚新秩序”的口号，是不能收回的：所谓“东亚协同体”和“兴亚院”等等的一套，是明知失败，而不肯放弃的；敌人此心未死，余波未息，这一个运动，必然还要继续的演下去；我们一意抗战，本来不值再提，所最堪痛心的，乃居然有无耻之徒，响应这个亡华灭华的“声明”，公然做背叛党国出卖民族的行为；虽然已经受到了举国民意的痛斥和国法的制裁，终不能不说是我们抗战期间一个最大的污点，更是多少先烈在地下不能瞑目的一个最大的遗恨。老实说，这些汉奸的所谓“和平运动”，实在是亡国运动，如果敌人和汉奸得遂其毒谋，那么“东亚新秩序”建立之日，就是我中华民国灭亡，奴隶地位确立之时，“东亚协同体”成功之日，就是中国实行归并于日本之时。在敌国已经宣布“东亚新秩序”狂论以后，很显明的他对我们中国除了要整个灭亡成为它的奴隶以外，再没有和平的余地了；我们对敌人今天只有胜利，只有完全达成我们抗战的目的，除此以外，亦绝没有其他第二条可走的道路，否则，中途投降，就是“汉奸的和平”，换句话说，便是奴隶的和平，灭亡的和平，除非存心出卖整个中国的汉奸，决没有人再来否认这一个事实。本来在去年年底，我们抗战二期开始，内外形势，显然好转，胜利目标，即在眼前，这些汉奸们，却要在此紧要关头，破坏抗战，想以无耻谰言，欺骗民众，动摇我们同胞对于抗战的信念，陷害我们浴血苦斗的将士，抹煞我们全国军民殉国殉难无量数牺牲所造成的功绩，陷了本国，去解救敌国，我们翻遍历史，实在找不出这种丧心病狂、寡廉鲜耻、忍心害理的先例；实在说起来，敌人宣布一套“东亚新秩序”实在不仅是对中国下毒手，也无异于向世界来宣战，无异宣布与全世界为敌；敌人的心中意中何尝有想到丝毫的和平，这些汉奸们却不想敌人是已经自掘坟墓，葬了自己，却要背叛国家甘心为敌人殉葬；这还不够，更要拖着我们五千年光荣的民族跟着他来做殉葬品，这不是丧心病狂，到了极点么。我们全国军民经过这样一个磨练，却能够坚定一致认清利害，明别是非，一点也没有摇惑，这实在是我们中国在这一年中最大的成功。从此以后，前途再没有甚么危险，我们只要立定决心，向着已经建立定胜利的目标奋斗迈进，可以说百里之途，已经走了九十里以上，最后胜利已经接近，我们要以前线后方猛厉无前的搏斗，粉碎敌人和汉奸的魂魄；我们要用血肉的代价，贯彻抗战目的，来洗雪汉奸们替我们民族所加添的耻上加耻的耻辱；不知道“汉贼不两立”之大义的不能算是中国人，不立志雪耻，争得国家独立生存的，不能算是黄帝的子孙。

全体的将士和同胞们，必须知道我们今天最主要的一件事，是立定百折不挠的决心和坚持抗战胜利的信心，世上任何战争，都是随着时日的延长而加深其艰难程度的，所以愈到最后，愈需要发挥更强更大的毅力和勇气。我并不否认我们全体军民的痛苦和努力；但是我们忍痛牺牲的决心，要随着时日而加强我们奋斗的程度，要随着战事的延续进行而加紧我们的痛苦和牺牲，有至高尚的价值，有极神圣的意义。我们就是要上为祖宗保持光荣，下为后代创造幸福。现在我们这一代同胞，如果能不惜牺牲，不畏困苦，始终不屈坚持到底，那么今天忍痛一时，必能换取子孙百世的福利；不然，如畏难苟安，妄想侥幸求免，那么我们偷安一日，就会招致民族万年的羞辱，陷我们世代子孙于奴隶牛马无穷尽的痛苦。敌人的千方百计，现在统统使用出来了。然而我们决不怕艰难，也不怕寇患，大家要知道艰难和危险，不是避免可了的，而只有努力去冲破的；寇仇与外患，更不是投降可以止息的，而只有奋斗去克服的。这是我们中华民族不畏强御的固有精神，亦是我们革命军人克敌致果应有的气节；我们抗战前途，是一天天的接近光明，同时我们的责任，亦格外加重，我们更要坚忍，更要戒惧，更要努力，更要切实反省，看我们每一个人在抗战上所尽的努力，是不是合要求，是不是达到进度。在今天抗战第三年开始的时候，我们要立定决心，各就本位而做最紧张确实的努力，具体事项，我们不必一一列举，最重要的，有如下列二点：

第一，在精神方面，要贯彻精神总动员的目标，将精神总动员的原则，在工作上，充分表现出来，我们更要巩固统一，加强团结，发扬敌忾心，提高自信心；我们要有“我不怕敌，敌必怕我”的认识；我们要有“有我无敌，有敌无我”的决心；我们要勤劳刻苦，扫尽因循敷衍的恶习，无论前方后方，都要迅速确实，加紧工作，完成任务，更须知现代国民的基本资格，就是拥护国家权力法令的绝对性，尤其在战争时期，一切国法，是和军令一样的森严，法律的轨范，任何人不能例外的，全国军民，应该共禀国策神圣、国法神圣的大义，一致遵行，贯彻始终，不愧为我远祖炎黄的胄裔，不愧为中华民族的国民。

第二，在军事方面，最主要的，是努力政训，充实组织，加强战斗力量，提高战斗精神，前方的将士，要更加忠勇奋发、杀敌致果，利用血的经验教训，尽心策划，尽力奋斗，粉碎敌人前进的企图，促成敌人整个的崩溃；在战地游击队相互间，要密切合作，并且要和就地同胞亲密合作，拖住敌人，袭击敌人后方；国民要踊跃应征受训入伍；有志青年，应该接受军事训练，投身军旅实际报国；各军政机关要切实完成其所负任务，增强战斗力的质量；全体将士，要保持中国军人的荣誉人格；全体国民要一致发挥成仁取义、忠勇尚武的精神。

全国将士和同胞们，今天以前，我全国军民，前仆后继的牺牲、坚忍持久的奋斗，已经打破了敌人的各种毒计，已经建立了我们胜利的基础；在今天局势好转的时候，也正是抗战最紧急关头，正要发挥最大的努力，加速前进的步调，渡到胜利的彼岸。敌人已经掘好自己的坟墓，我们要用力将敌人推进坟墓；敌人正在作最后的挣扎，我们要对他作最猛烈最后的打击。人人要患难相扶，死生相共，各尽所能，各竭其责，拼民族的生命，争民族的生存；须知苟且偷生，虽生犹死；敌人的胜利，就是国家永久的灭亡；奴隶的和平，就是民族万世的沉沦。杀敌而死，虽死犹生；抗战的胜利，就是子子孙孙万世的福利；主奴荣辱，胜败兴亡，就在我们今后这一年的努力。希望我全体的将士和同胞，以铭心刻骨的哀愤，咬牙切齿的坚忍，如火如荼的朝气，排山倒海的力量，淬厉奋发作殊死战，完成捍卫国家、驱逐暴敌、复兴民族之大业，洗雪与日俱深的仇耻，迎接最后胜利的光明！

对汪精卫《举一个例》的进一解

吴敬恒

久不闻汪精卫之踪迹。自从骇闻报载曾仲鸣先生被爱国侨民所惨杀，接连香港友人又寄来一词一文，词则汪氏之消极过乎其情，已步其韵而解譬之矣。文则为曾先生死后所发，大旨乃恐一朝淹霜露，惧终蒙汉奸之名，不谅其主和之苦心，为自己表白，并为曾先生鸣冤。呜呼，汪氏之处境，狼狈亦甚矣。但愿而今而后，汪氏始终只有“艳电”卤莽失检之大谬，决不终演卖国求荣之一幕，则君子之过，如日月之食焉，人皆见之，汪氏华贵之历史，即不至终投图溷，并亦可以大慰友人曾先生于地下。但汪氏之文，一张于《南华日报》，中外之消息，即纷纷而出，高宗武等之如何如何，东京欢迎，河内密商，又如何如何，我今不得不让一步论，此或皆为新闻家头脑之过敏，然要人之轻发言论，几亦如“艳电”之徒惹是非矣。

回溯汪氏去冬猝然南行，当“艳电”之未发，我个人即坠入五里雾中，莫名其妙。汪精卫者，总理原始之信徒，党内之副总裁，应与党部同其存亡，不应暴敌方施狂炸重庆，氏乃临阵脱逃，自避于安全之地，若欲令我当时料其或有异图，我何敢即以小人之腹，度君子之心。但简单以为辛苦太甚，欲求小休，似犹不类，故念其夫人陈璧君为女中之豪杰，头脑更似高朗，因发一快函，寄于河内，其文如下：

“璧君先生赐鉴：精卫先生近顷同在重庆，见其每周主会者以十数，训话者又十数，此外焦劳电牍，款应僚客，几日夜无休，吾料其将病，今果病矣。病而小休，俟短时康复，再应艰大，乃众所望也。惟要人举动，易为敌奸兴谣诼，此时仅达抗战之初期，以弱敌强，集中主力，待其消耗深入以灭之，此举国共同之信念，即彼利‘速战速决’，我利‘长期抵抗’，已合四百五十兆人而定国策，故前年离京之夜，预定引之山乡，先生与精卫先生，合全体出席最高会议者所主张，我受巨大之损失，方使彼成泥脚，渴欲诱和，整旅再来，此如大相扑之力竭声嘶时，太极拳方欲加以煞手，乃反纵其休息，岂非有岳忠武十二金牌之痛，将令全球腾笑，万世吐骂？自古无不亡之国，亦无不死之人，人有人格，国有国格，人为被诱而死，国为被诱而亡，均为民族之耻。先生佐精卫先生要杀载沣于北平，三十年来，先生梁孟，如斗星之朗曜，为通国所仰望。‘引刀成一快，不负少年头’，不皆信元老之颜面，更华贵于少年之头也。精卫先生病中不知外事，望先生速为清此污障，使天际永现真人，知先生必早为之知。窃附知末，敢赘一言，并望精卫先生早日康复。弟吴敬恒顿首，十二月廿五日。”

不知此信到河内，汪氏早寄“艳电”于香港。而尤可异者，二十六日纪念周，蒋委员长已在此间将近卫二十二日所发之谬论，详细痛驳，中外登载，汪氏岂有不知？何以于二十九日，又公布其“艳电”，除却欲投机暴敌，摇动人心，复有何种解说？宜乎举国忿怒，全党痛恨，我为之着急曰：汪氏自讨苦吃矣。即以小问题而论，温生才烈士，恐今日国门之外，更多其人，果也。林柏生遭击于前，曾仲鸣先生被戕于后，无谓之牺牲，皆一言一行之不慎召祸也。事后竭力补救，又来《举一个例》，然而愈说愈糊涂，古人所谓一言既出，驷马难追，岂不然乎。汪氏乎，君子之过，如日月之食焉，人皆见之，始终不做汉奸，即人皆仰之，留待孝子慈孙，必为之解曰，一言以为不智而已，其心证明无他也。氏举一个例，我当为进一解。

（一）汪氏断断于主和，不是他一人，就将国防最高会议记录披露，只就是泄漏外交军事秘密，律有明刑，而且他就是当时会议的主席，利用其自身职务地位，以泄漏秘密，处刑更严。汪氏此番自己亦知道：“为国家利害计，有严守秘密之必要。”现在幸亏他泄漏了秘密，把当时的谈话，无异于他宣告他自己的罪状。当时德大使调停的经过，和外交的秘密，到如今敌人尚不敢借此宣传，即陶大使亦未在外宣露一些，汪氏乃将个人主张之“艳电”，自认在重庆不能自由，然既离重庆而处自由之地，何以不密电中央，作为个人提议，却先在香港公布。故国人恨你的，并不高兴来批评你个人的主张，只是鄙弃你泄漏国家机密，求得敌人信任，破坏抗战利益，满足个人私欲的宣传作用。当此抗战紧急关头，国家存亡呼吸之际，前方的官兵，全国的同胞，正在拼命抗敌，博得最后胜利时候，无论任何个人有意见，不向政府献议，而即公开宣传，这是国法与人情，皆所不容的。何况你是当时的主席呢？故汪氏于主断断和不主和，是一味歪缠，忘了他公开反宣传的罪恶。我敢说，你除了投降敌，想做傀儡，及摇乱人心，想达亡国目的，复有何种解说呢？

（二）就对和不和而论，汪氏是始终观察谬误，不是他披露的秘密外交谈话上，又有蒋先生洞若观火的一段话么？就是“蒋委员长对德大使所表示，对日不敢相信，日本对条约可撕破，说话更可以不算数”。还有德大使所传当时日本之条件，便已明明早有“若将来华北有新政权之成立，应任其存在”，等之伸后脚话，悍然夹入。如果前年不是蒋委员长反提了两个要求的条件，用严正的态度，来应付这个提议，就是德大使的好意，纵无实现，也不过如张伯伦首相上人家的当，劝割苏台区，不到半年，便束手就缚，把全国奉献罢了。汪氏不知饮了什么麻醉药酒，此番《举一个例》上，会说出“德大使所述日本条件，不如此明划，且较此为苛”，难道即指不要赔款，不要割地，取消租界等等，近卫欺骗乡愚白痴的许多谰言么？就是不读蒋先生的详细开议，而小学生亦个个懂得，所谓“经济合作”，就是中国的款，都是他的款了。所谓“内地杂居”，全国成了租界，中国的地，也是他的地了。何必再要你赔款？何必再要你割地？何必再要你租界？为什么这样“亡国条件”，就是小学生都懂得的，汪氏偏偏装做不懂，捻着红狗矢，当他火煤吹，只要叫我替汪氏辩护，说这个作用，不是利令智昏，有谁相信？所以香港朋友来信，又告诉我，你所崇拜的女中豪杰汪夫人，我侥幸杂在她“同志”里面，听她秘密训话，她分析“我们不惜起个内乱，推倒他，和成了，就让汪先生出来组织‘中央’，国就不亡”。恐怕这种丧心病狂，夫唱妇随，简直是立直了做梦。汪氏又历数“当近卫声明时，南京、济南、徐州、开封、安庆、九江、广州、武汉，均已陷落，长沙则尚未陷落，而自己先已烧个精光，和平谈判，反不可以进行”。当时我见汪氏于广州陷落后，若丧考妣，顿足号啕，我以为汪氏对敌国有此仇不报，难见祖宗之慨，那里知他却是悔恨屈膝太迟。大人物之变化，真非我等下愚所能测。或彼深信苏台区割后之捷克，必能长治久安，所以把彼亦与知之国策，我们中国不得已为要得到最后胜利，使南京至武汉许多要点，忍痛换得敌人之罢疲，弄得他急于诱和，而想我们与他停战休息。我们前方官兵，全国同胞，正在死里求生，实现长期抗战一贯的政策，刚才达到转机的时候，不料汪氏健忘了，他反以为敌人占领我们城市愈多，残杀我们同胞愈力，而我们就要投降敌人愈快。接受条件亦应该更苛。你作此狂语，是不是为敌人张目，还是代敌人向本国讨价呢？你这样的怕凶怕敌的心理，难怪你怕敌人来重庆轰炸，就要飞到国外河内安全地带，急急忙忙的来响应敌国首相近卫建立“东亚新秩序”的亡国条件了。你竟将我们拼了全民族生命的重价，买得敌人罢疲的时机，乃他反要送上去与敌人求和，让他休息透气，等到停战之后，敌人休息半年，使得我们人心涣散，兵力懈怠的时候，他再来扫荡我们西南，岂不十倍容易于今日？如此半年之后，岂不是整个中国变成了捷克？你就是组织了“中央”，岂不是亦做了捷克亡国总统哈柴吗？此亦小学生都懂得的。

汪氏夫妇又装做不懂，若要叫人解说其理由，无非是美慕溥仪、殷汝耕、哈柴等等。虽是挂名傀儡，却是三等奴隶，东三省之有志气人民，宁可至今流离南北，知保护国之顺民，较亡国奴还难做。是则汪氏夫妇，欲劝香港工商各界以及青年学生诸同胞投降，我相信我们香港同胞们宁在香港卖火柴，决不愿跟了汪氏去南京做顺民。因为他只要一遇到东三省及沦陷区域逃出之同胞，略讲“鞠躬”、“耳光”之小小风味，即不能不盼望乘敌人罢疲，打到最后来求死里之逃生了。

（三）汪氏《一例》中有三问。其前两问，用以上的解说作答，也已经够了。其第三问是这样问的：“当德大使奔走调停时，国防最高会议诸人，无论在南京或在武汉，主张均已相同，何以当‘近卫声明’时，又会主张不同？”不料汪氏这种绝等聪明之人，会发此种痴愚的疑问。我未正答你之先，先来问你，何以一样的吴稚晖，始终想尊敬你，重视你的，当十六年四月初一、二、三，与李石曾先生等日夜恳求你慎重，你四号忽与陈独秀先生共发“宣言”。我就不客气的狂骂你，后来你毕竟自觉错误，至今你且以为大误。大误不大误，或者还是你的神经过敏，至于当时的错误，你的自觉，实是不错的。所以我又敬你如初。到那年十二月，你又忽发奇想，我又与李石曾、张溥泉诸先生劝你慎重，张先生且向你跪求，你又不听，等到十二日“广州事件”，我就不得不又骂你，你是声泪俱下的出国去了。后来你又觉得“我虽不杀伯仁，伯仁由我而死”，幡然又以党国为重来归了。我就敬你以至于今。不料你真是共产党所批评的“妓女政客”和“摇动分子”，又来个“艳电”。自然我们哪里能够赞同你这乞降的主张呢？张先生甚至追悔，不应在南京中央党部前，冒险抱住刺客，救一无聊之人。把以上的历史答复你，从前人家与你相同，及现在人家又不与你相同，都是自然的。你若真去做了傀儡，恐怕你的有出息的儿女，也要不认得你这老汉奸作父母了罢？所以你的机要秘书，最相信的心腹同志，因为他的良心主张，竟要把你的秘密泄漏了。我们真为曾仲鸣同志可惜，因为我们缺少了一个真正的为公而不为私的忠实同志了。我再来回答你：你用无赖口吻，催眠法术，诬人说过“既已主战，则不应又主和”。谁说主战不应再主和？谁说和战非国家大计？但是汪精卫，要知道你之所谓和者，是你承认近卫去年十二月二十二日建立“东亚新秩序”的条件之下来求和的，你岂不知道这“东亚新秩序”，就是“日、‘满’、支协同体”吗？岂不就是日本并吞中国的新名词吗？这个条件，还不是亡国条件吗？你这样主和，岂不是投降吗？还能说得上是讲和吗？这样的投降，还能说得上是国家大计吗？这样的讲和，岂不是卖国吗？你这样投降，这样卖国的主张，还能怪人家与你主张不同吗？这种是非利害，和战存亡的道理，就是小学生，亦能明辨，你这样聪明的人，难道真不知道，还在那里辨别和不和，哓哓痴人之梦，不是另有作用而何？说到正文，你要懂得，你若是善意谋国，用正当手续，如国防最高会议之类，秘密贡献和战问题，人家自然陪着你讨论，发觉不当，亦可否决，如南京议和之不再提及是也。倘使你的“艳电”，你亲在党部交各人讨论，各人亦至多劝你勿作痴梦，否决而罢。你却公然出行，公然公布，为恶意的宣传，你已经犯了死刑，且希图进入汉奸，人家清白人，忠爱己国，谁肯赞同你的逆谋呢？你疑问何以“又会主张不同”，不是痴绝么？以上我的“进一解”，也算要言不烦了，但我望汪氏临崖勒马，还有几个小问题，也要忠告：

（甲）有人说汪氏此次发表的《举一个例》，有两个企图：

（一）是我的朋友那天听汪夫人对“同志”训词，她说：“我们要达到目的，先要造成能把和战问题，公开讨论，至少要使和的问题，与战的问题能同样让大家自由讨论，现在时候已经到了。”因此，汪氏便放第一声大炮，想引起赞同呀，驳辩呀，闹得一塌糊涂，企图摇动人心，破坏抗战，可使敌人哈哈称快。但汪氏夫妇，竟敢犯这种卖国大罪，不但人格完全丧尽，且必惹起无边众愤。我以为你如此宣传，除了你的同行王、梁之类以外，哪里还有中国人来相信你这些卖国降敌的宣传，被你摇动呢，不过你宣告你自己人格破产而已。至于对牛弹琴的驳辩，我知道都不愿意瘟臭的来淘毛厕；我是叨在知末[1]，应作最后一次的贡献。汪精卫我以为你是相信了敌人，而不相信朋友，你以为敌国不承认国民政府作对手是真的，你所以相信敌人只要你汪某来作他们讲和的对手，更真了；所以你到如今表面上还说是只劝日本与国民政府讲和，你可以在野之身，从旁协助，这些客气话，试问你如不通敌，你有什么资格，能说你可以劝敌国与本国政府讲和呢？我相信你到如今还是做这个梦，没有醒转来，还是以为敌人只认你为对手的话是真的，而不是骗你的，所以你还是从容大方，很客气，

[1] 原文如此。——编者注

很谦让的要劝敌国与国民政府作对手；但是你自己一问你的内容，你胡芦里面所卖的究竟是什么药哩？老实勿客气，我来拆穿你的西洋镜说罢，你这个内容，就是到了相当时候，你就不客气的出来说，现在国家已经被你们这班不负责任没有诚意毫无见识的奴才弄糟了，你们应该赶紧滚开，让我来干罢，一方面你又来装作悲天悯人的话出来说：“日本既不要国民政府出来作对手，而国民政府也不好意思来求日本讲和，那最后只有我汪精卫万不得已而出来救国，来做日本的对手。”在近卫的所谓“东亚新秩序”之下，“二卫”先生共同的来完成日“满”支的“协同体”的大业，你们夫妻的计划，岂不是这样吗？这我的朋友不是瞎说的，更不是我来开玩笑，你九日声明对《大公报》五日所载称你通敌卖国为虎作伥引狼入室的消息，还要自辩，不肯承认，但我所得到的证据，比《大公报》所载还要详确，如果打起官司来，我还要到堂上拿真凭实据来证明的，到那时你总没有话可说了罢。

（二）是宣露国防会议的记录，要使香港等处汪派造一种谣言，说是“汪家‘艳电’，与政府是唱双簧”。

有着证据，但现在记录披露，刚使人知道南京会议，与汪家“艳电”，并无丝毫因果，但见汪氏自己是一个和战不定，背寒追暖的人物罢了。且以双簧论，汪氏歪戴了小帽，而心里涂着白粉，在台前演手舞脚，近卫在他屁股头，大唱“新秩序”，汪氏的脚手，应弦合节，不言若自其口出；突然换了蒋先生在他背后，痛驳“新秩序”，汪氏就在台前呆若木鸡，手足都僵着不动。这可以叫看双簧的小弟弟判断，汪氏与谁演的双簧，小弟弟必大讲曰，我在告白看见的，叫做“二卫双簧”，中日合演，只是小问题，我劝汪氏大人物，不必注意，若犯了泄露秘密文件的大罪，来牵扯成一句趣谈，更不值得。

（乙）泄露自身职务地位上所管的秘密文件，已经够犯罪，又把公家文件，随意添改伪造，适于己意，尤不是要想领袖群众者所应做。例如汪氏文上所引，德大使又见王部长，“据称德国驻日大使，在东京曾与日本陆军外务两大臣谈话，探询日本是否想结束现在局势，并问日本政府如欲结束现在局势，是在何种条件之下，方能结束。”这是记录所无，而你代为敌人来掩饰敌人要德国政府来讲和的地步，免惹敌国的怨恨。又对于排日问题，“详细办法，系技术问题”。记录亦无。又，唐孟潇、白健生、徐次辰、顾墨三等谈话，记录亦无之。又，陶大使谓“中国抵抗日本至今，已表示出抗战精神，如今已到结束的时机，欧战时本有几次好机会，可以谋和，但终自信自己的力量，不肯讲和，直至《维尔赛条约》签订时候，任人提出条件，不能不接受，……在彼看日本之条件，并不苛刻”。记录又一字没有，这是更应该为德国陶大使声明的，免得陶大使在德国受他政府的谴责，丧失我们中国外交信用。诸如此类之小篡改尚多，虽皆无关宏要，只是适于和议之足可歆动，然以中枢要人，而能如此自由伪造，即使真是一不小心，利令智昏，去充傀儡，你这样不能忠于职务，岂不是小鬼见了你都会怕，所以不敢要你命吗？你要小心，我想到相当时间，一定会给你一个殷汝耕式的下场。况且现在你夫妇想纠合“同志”，酿成小乱，亦何以管束其部下，无非以伪相市而已，苏锡文即为其卫兵所图，伏望汪氏保重。

（丙）汪氏自吹“所诚心诚意以求的，是东亚百年大计，我看透了，并断定了，中日两国，明明白白，战争则两伤，和平则共存”。又云“明明白白，摆在面前，两国有志之士，难道怵于一时之祸福毁誉，而徘徊瞻顾，不敢显然有所取舍吗”？汪氏居然像煞有介事，革命青年、党魁、雄辩家、诗人、汉奸，摇身一变，又变为老教士。又，你的女中豪杰陈夫人，她近来也常常嗟叹，战争中人民如何痛苦，忘了帮助你在汉口、北平鏖战，俨然一位积世老婆婆，可惜你们夫妇，暗中又在那里怂恿“同志”，不恤小乱，准备组织“中央”，希图窃取政权，作为你向敌人进身之贽，只人家可就不能不看透你们的假面具，知道你们猫儿哭老鼠，其实可笑，还是劝你们善保引刀成快的少年头，始终老实为好。

（丁）但汪氏最不相信的，就是老实，他是志气要想达到无上的高昂，差不多宇宙如有上帝，他还想驾上帝而上，其实他无论如何能学孙悟空的善变，终变不了那条尾巴，人家看了，只是一位畜生。他的尾巴，到底是什么呢？是惨绿少年（不老的），是不懂逻辑为何物的雄辩家，是寻章摘句的书生，也是爱几个臭钱的凡夫；从前我称他为伪君子，乃是我上了人家的当，什么党魁汉奸，都是他过渡暂居的头衔，终要被人一脚踢开，提了尾巴再变，从极左变到极右。从极高变到极低，从极香变到极臭，他都无所谓，他自己以为“看透了”，马上变，他看透了革命的向左边来，便觉至少要与列宁一体，史太林决不是他的相手，他又看透了东亚百年大计，至少希特勒、墨索里尼少壮军人，都要受他的支配。大家说汪精卫早已加入某某集团，他做硬牌汉奸，决不像秦桧、李完用那么简单；所以西湖上秦桧王氏的夫妇，用白铁铸成，对于他们夫妇，至少要准备钨钢，才称他们的分量，不知后事如何，且看他变成了再说。我今感慨的，他既然知道“主和也不会妨害统一，而不主和也不会分裂”，难道别人也就见不到，人家答复你，也不过说主战也不会分裂罢了。谁在那里借抗战统一呢？你反对什么呢？你提出那个反对字样，不过存心要煽动你的“同志”，替敌人起一个小乱罢了。此时你要在国内煽起小乱，这个摇身的变化，你还吃得了么？不用钨钢，候着孝敬你们的百年后，还用什么呢？“中国因抗战而得到统一”，乃是一句共同说顺口的新名词，没有哪个造了这个名词而抗战，问起这个名词的内容，就是说，除了极少数畜类的汉奸，中国全体人民，都是爱国分子。

我也举一个例，你所主持过的参政会，就是各党各派的代表，因抗战而统一集合，大家想到从前分裂的削弱国力，所以一合就不会再分，所以你也能相信“主和也不会妨害统一，而不主和也不会分裂”，统一里面又来了共产党的服从三民主义，拥护国民政府，也共同抗战，你以为“共产党是以捣乱为天性”，你又说共产党能“表面化”，但直到如今，却只见你公开乞降，你就是要宣传你个人和议，煽动内乱，设计卖国，供给敌人的利益，满足个人的私欲。古人说：“人洁己以进，与其洁也，不与其退也。”我们只晓得他们是服从三民主义，拥护国民政府，同来抗战的中国人，如是而已。共产党尚可因民主集团，而英苏合作；中国把主张民治，服从了三民主义的国人，乃反歧视，如何而可。你既一生鼓吹民主，居然看透了反民主集团的行运，又想马上跳槽，你提到共产不共产，无非想胡说中国赞成共产，应为以防共做幌子的侵略国所“膺惩”罢了。你说“共产党的捣乱，如果于主和时表面化，比现时操纵把持挑拨离间的局面只有较好”。这话就是将你自己的计划明白宣布了，先来做操纵把持挑拨离间的勾当，就是你可以借求外援的名义来借日本兵平内乱了，你这种用心，不是明代的吴三桂、朝鲜的李完用吗？你倒行逆施，一至于此，你还有丝毫天良么？你坐在中央党部，不是一天，谁不跟了你，对共产朋友，苦口婆心，祝他们共同建成三民主义的国家呢？你要公开了向敌人特别提到，是何居心！这好了，请你不以捣乱为天性的摸着良心，少看透点，老实做你的头能引刀成快的少年。我们得罪了你，将来愿受你的处罚。末了，我也奉还你《举一个例》，就是你曾记得你在民国廿三四年做行政院兼外交部长时代，不是日本军阀要求撤换察哈尔宋主席哲元吗？你接到日本军阀的要求条件，就不问哪一个，也不问怎么样，更不问宋哲元主席究竟有什么过错，应该不应该撤换，你就拿你诚意的外交负责的精神，用卓越超群的见识，高明莫测的手段，赶快连夜的下令，即将宋主席撤换，你就对日本军阀俯首帖耳，奉命惟谨的遵办了，不到二十四小时，把我们察哈尔整个的主权，奉交日本军阀了；而日本军阀竟不费一弹，不流滴血，和平的取得了察哈尔。你看这与上月哈柴总统奉送捷克国的情形，有什么两样？计算时间，你的高明迅速的外交手段，奉送察哈尔比捷克的奉送，还要快得多。其他实例，也不知有几多，我只举这一个例，已足表示你高见卓识、聪明智慧的外交天才，向敌人能负责任的丧权，很诚意的辱国了。汪先生！你对日本军阀这样的负责，这样的诚意，日本军阀哪里还肯舍得了你呢，中国四万万五千万人中间，除了你之外，再也找不出第二人来了。所以他们找到了王克敏、梁鸿志二位还不够，必要对你说是只有你可以做他们讲和的对手，这是难怪他们的，因为他们并不是有意要来勾引你，或有意来害你，不过有利于他们自己，使他们容易灭亡中国罢了。而你实在也并不是有意要来害日本，但是他们看你奉送察哈尔这样的办法，而且如此之快，就不能不使他们日本军阀灭华的野心格外发扬，侮华的精神也特别高涨，因此得寸进尺，使得他日本军阀就莫名其妙，忘其所以，连得他们自己传统政策与最高军略都不管了。一直到了卢沟桥“七七”开战，他们犹以为是中国人只有吃硬不吃软，所以增派大兵入关，无法无天的烧杀天津，占领北平，还一意痴想我们国民政府像你在二十三四年做行政院长时代一样，只要一用兵力威吓利诱，就可以签字屈服，垂手而得华北了；不只如此，还要费他们的心，派兵到上海，攻南京，直到占领广州、武汉。汪先生！你知他们这是什么？恐怕你还不明白罢？这就是要等到你出来，代国民政府同他们做对手啊，但是他们到了武汉，你还不肯出来做他们对手，你岂真要他们打到西安、南宁之后，你才肯出来推倒国民政府，代国民政府做对手么？如果他们到了西安、南宁，伤亡了许多兵力，花费了好多军费，弄到他们本年度六十万万作战预算经费用得精光，这时竟攻不下西安、南宁，或攻下了，而你如还不出来推倒国民政府，代国民政府来和他做对手，那你真是害了他们，真是对不起他们了。到这时，你的好友日本军阀，一定要诘问你："在你《举一个例》中的'奠定东亚百年长治久安之局'与'共同生存共同发达的又一条路'的话，不是骗人么？"你到那时如不能答复，我替你想。只要说，"我是中国人，我们打仗兵不厌诈，我现在如此，你们是失败了，可是这才够得上是'东亚百年长治久安之局'，""共同生存共同发达的又一条路啊！"这样复他，你不是成了一个历史上有名的大政治家吗？如果真是这样的结果，那我们将来的中日战史上，中华民国得到了独立自由领土主权行政完整的那一天，岂不是要拿你的第一功记在第一页上么？你还怕什么有冤洗不清呢？我想你如要报国扬名，留芳百世，只有如此，这是我老同志为你代想的再好没有的第一个方法，除此以外，就是条条是死路，请你珍重珍重，切不可走错，如果弄到一朝失足千古恨的时候，那就追悔也莫及了。

再会。

我也来“举一个例”

胡愈之

汪精卫的《举一个例》，用意在于诬蔑国民政府，诬蔑领袖，替他自己的行为作辩护，后来吴稚晖先生写了一篇长文，把汪精卫驳斥得体无完肤。

现在我也来“举一个例”。我举这一个例，并不像汪精卫那样，泄漏或伪造国防外交的秘密；我所要揭发的，只是“汪精卫捏造事实含血喷人的秘密”而已。……

中央党部总理纪念周。

时间：民国二十七年十一月。

地点：重庆。

主席汪精卫报告外交问题，中间有一段说：

“昨天我看见一本杂志，登载胡愈之的文章，这篇文章的结论说：‘中国与其亡于日本不如亡于苏联。’各位想一想，天下哪有这样丧心病狂的议论，居然主张中国亡于苏联……”

接着汪精卫就发挥了中国不能联苏的一大套理论，

根据就是因为有人主张“亡于苏联”。

这是参加那次总理纪念周的中央党部工作同志在汪精卫“艳电”发表之后告诉我的事实。那位同志和我说：“汪先生误会了你的意思了。”原来他相信汪精卫不会凭空说谎，以为我的文章一定有“中国与其亡于日本不如亡于苏联”的话，不过不像汪所报告的严重罢了。可是我就回答那位同志说：“这哪里是误会，简直是无中生有，凭空捏造啊！”

在这里我用不到辩白我有没有写过这样的话。因为我的文字，也许汪精卫并没有看过，但是一定有许多读者看过的。我所要说明白的，就是汪精卫为什么要捏造出这一段话来，这动机是十分值得研究的。

这是很明白的，主和派无论怎样愚蠢，不会愚蠢到公开主张中国投降日本，中国人都做亡国奴。因此他们的造谣欺骗，一定是用绕弯子的方式。列举出来，就有以下的十种欺骗说法：

（一）强调中国抗战中所遭遇的物质困难，……换句话说，就是用唯武器论证明抗战之必败。

（二）认为中国抗战尚早，所以现在不妨投降，将来准备充足的时候，再发动抗战。

（三）夸大抗战中人民生活的痛苦，以动摇人民对于抗战的决心。

（四）捏造国内党派间冲突磨擦的事实，使大家忘却目前的处境，而移其目光于对内。

（五）反对游击战，不承认民众的抗战力量，以使国军孤立作战，便于日军的进攻。

（六）不承认民主国家有结成反侵略阵线的前途，使人民误信我国抗战不能得到国际的同情援助，因以动摇人民对于抗战的信心。

（七）鼓吹认贼作父的多面外交，主张联结德、意借此引到中国加入反共协定的自然结论。

（八）用虚伪的“民主主义”掩饰违反政府国策的主张。

（九）歪曲事实，认为中国替苏联打仗，但苏联不出兵，可见中国上了当。

（十）认为主张抗战到底，就是主张中国应亡于苏联。

假如把主和派的种种理论分析一下，不管它有多少花言巧语，却不外以上的十种方式。可是这十种欺骗，却有八九种，都早已拆穿了西洋镜。……

汪精卫以及许多主和分子所最认为得意的，就是最后的两种方式。它们最近发表的文字中间，时常可以看到这一套论调。这种欺骗有两个根据，第一个根据，是汪精卫这一辈子头脑中无国家民族观念，所以对于国家民族的独立自由的前途，毫无信心。因为毫无信心，所以相信中国非投降日本，就是倚赖苏联。他们决不相信中国是能自力更生的，而且必须自力更生的。第二个根据，是他们诬蔑苏联是赤色帝国主义，和白色帝国主义的日本并无分别，因此他们认为中国联苏抗日，就要赤化，就要亡国。所以他们的最后结论是："与其亡于苏联，不如亡于日本。"

主和派这一套理论，是会使有些头脑简单的人们，受了它的欺骗的。……可是对于明白一点事理的人，这种欺骗，依然不会发生一点作用。原因是：第一，中国抗战，完全是自力更生，我们固然希望国际援助，但决不倚赖国际援助。我们的前途只有两个，或者因投降日本而亡国，不然就是独立与解放，这是大家都明白的。

第二，苏联出兵与否，和我们抗战没有多大关系。要是苏联出兵，我们还是要自己尽力才能得到胜利；要是苏联不出兵，并不就是说苏联没有帮助我们。第三，我们和苏联携手，共同反对侵略，完全是站在相互平等的立场，决没有人会想到会因此亡国。因为苏联是反对侵略最彻底的国家，这也是大家都能明白的。第四，凡是中国人，决不想做而且决不甘做亡国奴。……

够了，我无须再来辩驳，因为一切真理都是自明的。我们不怕真理不明，所怕的却是捏造事实，含血喷人。……比方最近时常有人散放谣言，说是领袖也主和的，只是不许汪主和；说是苏联当局也劝中国和日本讲和；说是苏联要中国赤化之后才出兵援助中国；说政府本来想和，因怕共产党反对，所以不能和。凡是这一类谣言，一大半是对方制造出来，但是也有一部分是主和者所造作的。我奉劝大家要时时留意，处处当心，我“举一个例”的用意不过如此而已。

（二）

别轻视汪逆卖国阴谋

钱俊瑞

郭沫若先生骂得好:“汪精卫是什么精呢?实在是卖国精，卖国的妖精!”对于这样的卖国精，我们是什么话都不必讲，什么话都不值得讲了。对于他，只有一件事还值得做和需要做——通缉，枪毙!

但唾弃汪逆是一件事，注意汪逆阴谋的发展又是一件事。我们决不会因为汪逆之不齿于人类而忘掉警戒敌人和汪逆花样百出的阴谋诡计。报载汪逆和陈璧君等于五月五日乘意轮赴沪，并乘敌机飞福冈转往东京，晤见敌相平沼，还蒙“天皇召见”。同时敌政府已批准所谓《汪、平沼秘密协定》。他回到上海，又发动组织所谓“世界和平息战运动会”，促成对敌投降，从速结束战争。总会设上海，由汪逆为主席，平津各处设立分会，北平分会内定江逆朝宗为会长，天津分会内定靳逆云鹏为会长。此外，汪逆在沪受敌人津贴，大办其“文化事业”，怂恿敌人对我国及友邦报纸杂志，尽力摧残；搜罗汉奸流氓组织反共救国团、反共救国特工团等。

我们相信，报载消息远不能尽汪逆阴谋于万一。敌人对于汪精卫这样一个善于耍把戏的猴子精，只要抓住它的尾巴，“甜”住它的嘴巴，那实在有一套把戏好耍：从极美到极丑，从极方到极圆，从极左到极右。无论王克敏、梁鸿志、缪斌，总之无论谁都耍不过它，除开土肥原和影佐！

谁都知道，敌人在最近特别使劲地利用汪精卫，决不是偶然的。目前国际的环境，敌国国内的状况以及中国的情形，都迫得敌人不能不对这个善变的工具加紧使用。

大家晓得世界大战不仅在各国政论家的笔尖上，而且在各国参谋本部的布置上，快要爆发了。这是目前世界局势顶重要的特点。敌人要不参加这个大战？这主要不决定于他的主观，而是由整个世界情势来决定。更具体地就是由德、意、日的密切联系和英、美、法、苏共同的攻势防御来决定。其次，敌人在主观上也想用最便宜的方式，参加大战，取得渔人之利。敌人在最近一天天陷于实际上的孤立是无疑的。英、美对鼓浪屿问题的相当强硬，特别是苏联在欧洲地位的日形稳固（因为英、苏开始谈判），使他感觉异常头痛。本月廿六日华盛顿方面传来消息，一部分熟悉远东局势的人都说目前日本最焦虑的问题，是如何在中国以外打开一条出路。这话真说透了敌人的心底。

在这种情势之下，敌人的确想把中日战争快快结束，好让他在亚洲大陆有中国这样一个安全的后方，从容准备应付大战。敌人要用战争来彻底征服中国的迷梦已经压根儿破灭了，他一厢情愿要劝诱中国妥协投降，至少也要弄成不和不战的局面，这就用得到汪精卫这样的卖国精，来做劝降工作。何况汪逆在外交上一向遵奉希特勒的圣旨，主张德、意路线，主张加入反共协定。在全世界法西斯强盗快要掀起血腥的大战的今天，如果中国真能做成第二个西班牙，加入日、德、意这一边，那侵略强盗在未来大战中当然会大占便宜。

其次，我们为什么说敌人国内情形也使他不得不加紧利用汪逆呢？敌人在军事财政经济上的困难，大家已经知道，用不到多说。他在中国的消耗实在太大了，他确乎要得到一个休养生息的机会，好把已经吞下的东西好好消化一番，再来应付更大的局面。当然，敌方的少壮军人法西斯强盗是要硬干下去的，因为不硬干下去就发不了财，升不了官，不硬干下去，就维持不了在国内优越地位。可是一部分财阀却不这样想，他们愿意停止战争专心经营占领的地带。于是平沼、近卫甚至坂垣等等政府人物就综合两方面的意见，决定实行以经营占领区为主，同时相机进攻的新政策。

敌人现在对于汪精卫表面上还在装腔作势，认为他对今后大局无能为力，表示并不特别器重他，也并不想特别利用他。不过事实上敌人对汪片刻没有放松，因为汪逆对于敌人侵略中国的新政策毕竟大有用处。第一，在敌人眼光里汪精卫比起梁鸿志、王克敏来，究竟有"号召"力量。敌人经营占领区，建立傀儡政权，如用汪逆来号召，或许更有效力。第二，汪逆其人善变，善耍，根本没有骨头，只要有钱，有权，有势，无不欣然从之。敌人知道得很清楚，目前的中日斗争是政治重于军事。配合着敌人的新政策，敌人要尽可能地利用汪逆上述的特点，来对我全国展开其政治的阴谋。第三，汪逆虽然不是军事家，但对于敌人的相机进攻，汪逆确乎可尽“赞襄”之责，因为他以过去负责人的地位，对我国情知道得多，知道得细。最近敌人轰炸我各地，轰炸重庆的热闹市区，主要地可以看做汪逆阴谋的具体表现。因为他明知道以他们少数人来劝降，已经黔驴技穷，所以要教敌人尽量残杀我平民，造成国民对战争的恐怖心理，替他摆布妥协投降的群众基础。

末了，我们为什么说我中国的情形也迫着敌人不得不加紧利用汪逆呢？大家知道，眼前中国形势的特点是在蒋委员长领导之下精诚团结，抗战到底。而汪精卫这卖国精，却要反对蒋委员长，反对精诚团结，反对抗战到底。他奉迎着敌人的意旨，用他那套假的民主理论（实在要实行希特勒式的独裁）来反对蒋委员长；用结派营私和加紧反共来破坏精诚团结；用民族失败主义来反对抗战到底。而这一切到最后必然的会把这位妖精送到敌人的怀里，在土肥原、影佐的豢养之下，变成日本帝国主义最狠毒的鹰犬。

敌人在这里的阴谋是这样的：最初要教汪逆做卡萨陀，从我们抗战阵营内部起分裂，把我们的政府变成米亚加的投降政府。可惜得很，敌人这一招是失败了。于是敌人不得不走第二步。他要把汪精卫武装起来，变成弗朗科第二。于是汪精卫就从抗战的首都出走了，跑到河内，布置了一番，最近，就到上海，到东京，缔结《汪、平沼协定》，俨然以东方弗朗科自任。今后汪逆的任务是很显然的。他要以表面上独立的面貌（甚至比弗朗科更“独立”些，这是汪逆较之梁鸿志、王克敏等高明的地方），用非常巧妙的方式（如仍以民族的形式，仍以三民主义和国民党为号召，仍然标榜救国等等），建立起统一的傀儡政权（甚至还用伪国民政府的名义），建立起一些武装力量（如反共救国军）建立起“反共”的“民众”团体。今后汪逆等的活动一面将在沦陷区域里与我争民众，同时在全国范围内加紧分化工作，破坏全国的统一和团结，进一步争取其主和投降的“群众基础”，甚至要制造大大小小的卡萨陀。

这就是汪逆阴谋的背景和全部轮廓。这种无耻阴谋之绝对没有成功的希望，是没有人怀疑的。但我们对他却不得不深深警戒，对汪精卫诸逆个人，我们当然再不能姑息了，对于他们的阴谋，也必须立即采取原则上斩钉截铁的政策，动员各部门各方面的力量，来制裁和粉碎它。

（按本文发表时国民政府尚未下“通缉汪逆令”）

（《全民抗战》七十三号）

汪逆做得成弗朗科么

钱俊瑞

汪精卫这个卖国贼要想做东方弗朗科吗？要极，要极，一万个要极！

那么这卖国精到底做得成弗朗科吗？做不成，做不成，一万个做不成！

这是我在本刊《别轻视汪逆卖国阴谋》一文内的结论之一。两星期来，事情已经有了大大的开展。政府已经明令通缉汪逆了。于是对于汪逆个人，留下来值得我们做的事情只有这么一点点了——通缉归案，执行枪决！

于是问题就进了一步。有四个读者写信来问：汪精卫先前要做卡萨陀，不成；现在要做弗朗科，你说也"是绝对没有成功的希望"。究竟你何所据而云然？

答案在这里：现有的条件使汪逆绝对难于做成弗朗科，而我们主观的努力将使他绝对做不成弗朗科。

第一，从汪逆本人及其党羽的力量看，他和弗朗科相比简直差得太远了。弗朗科从一九三六年七月叛变开始时就有军队，共和政府的老军官差不多悉数叛变附逆。弗朗科的叛军在当时不仅数量绝对超过政府军，在质量上更见得武器优良，训练有素。从叛乱开始到“凯旋”玛德里，一直受德、意的接济和补充。这样弗朗科就能成其为弗朗科。再来看看我们高贵的汪精卫则何如？伦敦出版的《每日工人报》称中国国民党开除汪逆党籍是“赶跑一只破坏统一基础的老鼠”。真的，汪精卫从出走到现在，依然是一只可怜的老鼠，依然是光杆儿一个。他没有弗朗科的那些虾兵蟹将。有之，只有一个老婆，加上一些无耻之尤的奴才，如周佛海、陈公博、陶希圣之类。他们啥亦没有用，除了向敌人“吹”、“拍”，受敌人鞭笞之外。

其次，敌人也很少力量使汪精卫真个成为弗朗科。敌人要不要在中国造成一个弗朗科呢？当然要的。那么敌人是不是就想把汪精卫一个造成弗朗科呢？那可不一定。在敌人心目中可以候补做弗朗科的，至少在两个以上。汪精卫只是其中一个而已。现在假定敌人能用全力把汪逆造成弗朗科第二吧。那么按敌人本身的力量来看，也还是不够的。

谁都知道，弗朗科在西班牙的胜利就是德、意的征服西班牙。我们同样明白，汪精卫在中国做成弗朗科，也就是日本征服整个中国。现在我们有充分的把握说，日本决没有那样的力量，在军事和政治上征服中国。西班牙共和军之暂时的挫败，其主要原因之一，就在他的军事力量和敌人的军事力量，太没有固定的对比了。尽管共和军的新生力量生长得很快，但因为他一手要敌三个——弗朗科和德、意军队；德、意两强全国的军力都是他敌人的预备军，再加上英、法“不干涉的”干涉，他就不得不暂告失败了。

日本之于中国就完全不是那么一回事。我们打敌人是一个打一个，德、意在今天或明天事实上绝对不可能做成敌国的预备军。而全世界的和平国家，却可能在更好的国际的条件之下，变成我们的预备军（当然不仅指军事援助）。我们的力量生长一分，至少就是我们的力量胜过敌人一分。敌人要想完全用自己的军队簇拥着汪精卫这位体面的傀儡来征服中国，是绝对不可能。

是的，狡猾的敌人为要应付世界大战，为要使自己的泥脚从中国拔出一些，他们是会替汪逆装置“摩尔军”的。反共救国军就是很好的名义，现有的伪军就是很好的原料。他们这样甜蜜地想。但这样也不成，因为敌人已经根本不能相信伪军了。因为第一伪军反正和不稳事情太多。

第二，伪军没有“皇军”作陪就根本打不了仗。所以敌人要帮助汪逆来从头建立“叛军”，其难将难于上青天。

第三，国际情形也不容许汪逆做得成弗朗科。大家知道，英、法现政府在欧洲顶喜欢卡萨陀，而并不喜欢弗朗科。因为弗朗科毕竟太德、意化了，卡萨陀之流也许还可以让英法与德意在西班牙平分秋色。英、法和美国对远东问题是不是这样呢？不是的。英、美、法在目前状况下，还愿意支持打下去，所以说不愿中国产生一个酝酿内部叛变的卡萨陀（英、法、美以前并不支持汪精卫，这就是顶好的说明）。当然更不愿中国产生一个弗朗科。最近国际局势的演进，一面是德、意、日对英、法、美的威胁，一天天严重到致命的程度；另一面是英、法、苏、美团结的日渐具体化。整个局面是在向对我更加有利的途上走，尤其是各国人民的力量在一天天强大。因此英、法、美在这时来支持汪逆，完成其叛国的阴谋是不能想像的。

当然，德、意在眼巴巴希望汪逆能成功。因为这样，太平洋上就多了一个反共国际的签约国，也就是多一个帮同它们杀进苏联，打退英、法、美的好助手。汪精卫之对于德、意抱有那样图报皇恩的好感，就在这里得到说明，但德、意这一企图必须透过日本的武力来实现。而照我们上面的分析，德、意这一招必然要失败是无疑的。

最后，我们要指明：汪精卫之做不成弗朗科，主要地还在于我们国内的力量不容许他这样做。先前，他想在我抗战阵营内做卡萨陀，结果因为他奸态毕露，给撵走了。当时敌人报纸、杂志纷纷宣传中国抗日统一战线已告破裂，但结果真如伦敦《每日工人报》所说，中国建立起统一的更高更坚的壁垒，把一只破坏统一基础的老鼠赶掉了。汪逆在海外吹牛（实际是造谣诬辱），国内有若干若干军队受他指挥，若干若干人物同情他的主张，结果是党籍被开除，职务被撤消，而最后在全国军民切齿唾骂之下，被政府明令通缉了。这铁锤一样的打击将使汪逆永远不成弗朗科，将使日本帝国主义永远征服不了中国。

是的，“汪精卫是已经死了，可惜他还不肯躺下去。”（四月五日英文《大美晚报》）他还要立直做梦，想做弗朗科。我们要更加团结，更加坚决，更加努力培养新生的力量，来把汪逆打到“躺下去”，一直打到敌人和他的好梦粉碎为止。

（《全民抗战》七十五号）

国内团结问题

钱俊瑞

抗战给予中国民族最贵重的宝物是铁一样的团结，钢一样的统一。显然的，国内团结的问题已经是老问题，已经是过时的问题了。

但目前这个老问题却有重新提出来讨论的必要，为什么？

第一，敌人的阴谋是更加毒辣了。我们老早说过，我们第二期抗战是政治重于军事，而敌人向我们的第二期的进攻也是政治重于军事。汪精卫之在二期抗战开始时出走决不是偶然的。敌人从攻陷武汉后就用假态的休战，来促成我们的投降，促成我们的分裂。那时敌人是失败了，接着就采用经营敌后和相机进攻的新策略。我们必须注意，敌人每一个步骤，不问它是军事的、政治的、经济的，都带有严重的政治作用：他要分散我们的力量，拆散我们的团结。比方就军事行动来说，他先前想从西江进攻广西，硬要讲“我只打 ×× 军，不

打 ×× 军”。上月他袭击襄樊，又说“我只打 ×× 军，不打 ×× 军”。最近的事情更露骨了。他明明因为兵力不够分配，为要做到分区扫荡，各个击破，就集中大军去扫荡华北。可是他却播弄阴谋，硬说要消灭 ×× 军，镇压赤化。这阴谋是毒辣极了。他在国际上看准英、法、苏有团结的倾向，就想按照德、意、日三国的共同计划，配合着他们在外蒙的军事挑衅，来中伤和破坏这个团结。他以华北的扫荡来告诉英国死硬派：“我要在华北剿共，进一步来打苏联。华中华南我是可以撤兵的。”他对我们，一面迎合汪精卫等汉奸的反共策略，同时在利用我国内部某些成见和弱点，来破坏我们的团结。

第二，汪精卫的卖国行为，是以新的姿态出现了。他在敌人唆使之下，正忙着组织伪中央，编制“反共”军，不久以后，怕就要袍笏登场，正式做傀儡。这些都不稀奇。最可注意的是：

（一）汪逆必然更进一步来分化国民党。最近据敌人广播，汪逆声称并不反对国民党，并不反对政府，只是不同意政府的政策。这分明是极端无耻的谰言，其目的就妄想利用我们内部他所熟知的弱点，进行党内党外的挑拨、离间、分化等阴谋。

（二）汪精卫的卖国旗帜是反共。大家知道，日本帝国主义的“共同防共”只是征服中国的别名，而汪逆等的反共也就是卖国的别名。但汪精卫是绝顶狡猾的卖国精，他紧紧扯住了反共的口号来实行卖国是有他的道理的，他要运用我们社会经济乃至历史的某些弱点，使国内已成的团结局面重新破裂，以便利日本鬼子来脔割。汪逆这个阴谋正在加紧进行。他正设下许多圈套，制造许多借口，好让我们去上当。

（三）汪逆破坏团结的阴谋还不止此，他要把我们的政府和人民拆开，把中央和某些地方将领拆开，把海外侨胞和祖国拆开。汪逆等现在香港、上海到处宣传抗战累得我国民如何如何苦，这正如吴稚老所说，只是假惺惺猫儿哭老鼠，一片毒辣心肠。他想借此结好我老百姓，叫大家反对政府。再加上汪逆结合那一批惯说“左”倾好听话的阴谋派，他们天天夜夜在无产阶级长，无产阶级短，说什么抗战不过是工农为资产阶级抬轿，所以香港汪逆机关报竟称汪之主和与十月革命后列宁之主对德讲和一样。所有这些无耻言论，目的只有一个，教老百姓反对政府，拥护自己。至于他对某些地方将领的妄加蛊惑，在海外侨胞里面的竭力煽动，虽然都毫无成就，不过其居心之险，实是路人皆知。

是的，尽管敌人阴谋在加紧，尽管汪派叛逆在跳梁，我全国精诚团结并未受到影响。陈诚部长讲得好：敌人“利用汪之造谣撞骗，离间国内之精诚团结，以及本党同志间之感情。但事实上……国内精诚团结与本党同志间之感情，更非汪逆造谣挑拨所可动摇，反而汪之脱逃，使抗战阵容更加严整，同志间精神，更加团结”。所以敌人和汪逆等阴谋派尽管天天在造谣生事，挑拨离间，结果还是枉然。

我们可以告诉敌人及汪逆等阴谋派：你们的造谣、欺骗、挑拨、离间的伎俩妙则妙矣。但无奈我们的精诚团结却有国际和国内的条件作保障。

先看国际方面。首先是全世界的民众和舆论在做我们团结统一的后盾。全世界各国无论哪一个民众团体，哪一家报纸，只要他同情中国，就没有不为我们的团结统一而鼓舞，没有不为我们的进一步团结统一而督励。比方最近世界反侵略大会和该会法国分会，以及法国的中国人民之友社。都以无比的热忱，赞佩我们的持久抗战，特别赞佩我们的团结统一。因为在外国人眼光中，团结统一是现代国家的起码条件，现在中国已在向建立近代国家的路上猛进，因之他们觉得我们的团结统一特别可贵。

其次，在目前国际条件之下，英、法、美诸国的政府，还愿意中国继续抗战下去，同时也还巴望中国能够继续团结下去。所以汪精卫以前要做卡萨陀，英、法、美没有帮忙；现在他要做弗朗科，从外边来分裂我们内部，英、法、美更加不会帮忙。我们老实告诉汪逆等阴谋派，你们把英、法在远东的地位和在欧洲的地位估计错了，你们把中国错看成了西班牙，所以弄得你们手忙脚乱，而到最后历史必然会把你们的阴谋埋葬掉。

再次，眼前国际形势的特点是反侵略阵线的日渐形成，特别是英、苏两大国的友谊一天天增进。英国是我们的友邦，苏联也是我们的友邦。英、苏的接近影响到国内来，无疑的对我们的精诚团结是一大助力。

所以国际的局面是有利于我国内的团结。

再看敌人方面。敌人进攻得越凶，我们团结得越紧。

这是抗战两年来的真理，谁都不能否认。是的，因为敌人打得相当疲累了，因为敌人力量的不足，他竟迷失了进攻的战略方向了，所以他现在的进攻只能是乘我之弱，相机而动。可是谁要因此过分轻视敌人的力量，判断敌人已经无力再来进攻，那就犯了天大的错误。敌人的进攻是继续在加紧，他的侵略已经更带了全面性。敌人这种不断的进攻和全面的侵略，客观上必须和必然促成我们进一步的精诚团结。

再从国内来看。全国老百姓已经在抗战的怒火中，过了两年相当一团和气的生活。他们当然愿意用最大的力量来保持和加强这团结统一的局面。在前线作战的将士更不消说。他们拼命了两年，不问过去为友为敌，是亲是疏，只要愿打鬼子，就携起手来共同拼命，共同流血。所以他们绝对反对汪逆等阴谋派一切破坏团结统一的企图，他们将用铁拳来粉碎它。

同时，我们已经在舆论上，在民众的实际行动上，给那些“左”的阴谋家以不断的打击。这些阴谋家今天是汪逆卖国理论的台柱之一，他们一心一意煽动民众起来反对政府，甚至起来暴动。他们用各种各样的面貌，和各种各样的顽固反动力量相结合，隐藏在美丽的言辞下，来执行日本帝国主义破坏我团结，征服我全国的任务。当然我们对这些阴谋家的打击还是大大不够的。但至少到今天为止，他们还没有制造出爆发什么大阴谋的借口来。

最后，我们必须指出一个重要的条件。我们中国有蒋委员长这样有威望、有远见的人做最高的领导者，这对中国的团结统一有极大的作用。现在全世界无论哪一个国家，除苏联而外，各个执政政党的领袖在事实上都并不能成为全国真正的领袖，而希特勒和墨索里尼只是民众的罪人，更说不上是全国的领袖。我们的蒋委员长则完全不同。他以一党的总裁，同时实际上做成了全国的领袖，全国军民爱戴的领袖。蒋委员长凭着他的远见和威望，对国内各种力量可以作适当的配布相调节。这个优越的条件，是最近的西班牙和今天的法国所没有的，同时也是我们的敌人在梦里也要“膺惩”的。

所以从国际和国内这些条件来看，我们的精诚团结确乎有坚实的保障。

可是正因为我们有这些确实有力的保障，敌人和汪逆阴谋卖国派的破坏中伤才更厉害。我们不能做命定的乐观论者。客观上有利的条件必须由主观的努力去运用，才能有好结果。所以今天我们特别需要对敌人和汪逆等的阴谋严格警戒。我们千万不能再制造一丝一毫的缝隙让敌人来钻。我们应该了解，汪逆等以过去在党国负责之重，对国情的了解是透熟的，对各方的揣摩是精明的。他熟知我们的漏洞，熟知我们的弱点，所以他最近的宣传都有一定的方向，敌人的军事行动也会改变方式。这一点我们无论如何要特别留神。

最后，我们要明了自己有弱点。历史的成见和个别的利害，有时终不免要发生波折，妨害到抗战和团结的最高利益，特别在敌人进攻表面上和缓的时候。今天我们每个同胞必须看清敌人还在不断进攻，扩大侵略。必须记住：我们不少的锦绣山河还在敌人手里，沦陷区域的同胞还陷在水深火热的苦海。必须记住：我全国军民已经掷了无数的头颅，流了无数的鲜血，贡献了无数的资产。必须了解：全国四万万五千万国内和海外的同胞，以及前线数百万将士，都在或者都愿意拼掉性命来保卫我们的国家。在这时候，我们只有相亲相爱，相忍相让，为国家保存元气，为民族培养力量。摆在我们面前的道路很清楚：抗战则生，妥协则亡；团结则生，分裂则亡。所以我们今天依然是抗战第一，反对妥协求和；依然是团结第一，反对阴谋分裂。我们无论在国外在国内，有的是好条件。我们要努力加强这些条件，造成进一步的精诚团结，粉碎敌人和汪逆等的阴谋。

（《全民抗战》七十六号）

辟谣

钱俊瑞

街头巷尾飞扬着的谣言，那种无聊的恶毒的关于和战问题的谣言。那显然是敌人最阴狠的毒计进一步的表现。敌人把詹森和戈思默两大使描画得简直像“和平的天使”。敌人的广播更替和平天使的翅膀撒下了许许多多“和平谈判”的谣言。还有些好心的老爷们和太太们无心地传播着这些谣言，代做义务宣传。于是东京的敌酋鼓掌了，创制这个阴谋的策士们可以论功行赏了，统一的支那“瓦解”了，“× 政权”“塌台”了。

但他们毕竟在立直做梦！对于敌人这种无耻的阴谋，难道再用得到我们多费唇舌吗？

蒋委员长说：“中途妥协即是整个灭亡，”又说：“事势已经明白显露到这个地步，如果我们还要想在虎颌之下，苟求余生，想以和平妥协的方法，求得独立平等的生存，那就无异于痴人说梦，精神一经屈服，就将永劫沉沦，锁链一经套上，百世不能解脱。”（“驳斥近卫声明”）。

陈诚部长最近也告诉我们：“今日之问题只有研究如何继续作战，并如何战到底，而获取最后之胜利。除战而外，绝无和平之可言。故现在主和者，实即中途妥协，投降敌人，皆当以汉奸论之。”（“招待文化界谈话”）。

这样，最高领袖和别的政府负责人已经把谣言辟掉了。我们不必再来消极地辟谣，只要积极地打下去就得了。

但如果有人一定要问：为什么这是敌人和汪逆等汉奸放送谣言，而不可能成为事实？那么我们愿意这样答复他：目前国际和国内的形势都不容许“和平”（应读作屈辱投降）成为事实，而只能成为谣言和少数败类的蠢动。

当然，我们都明白无论在国外和国内都有些弱点，可以作为敌人造谣和蠢动的凭借。就国际来讲，英国的妥协政策（在远东应该说是典型的屈辱政策了。你瞧，天津的英国侨民给日本鬼子“剥猪猡”，赤身裸体的加以侮辱，而张伯伦先生却在伦敦说风凉话：“英国国内人民对天津同胞受此种待遇，抱甚深之同情”，宝贵的“同情”之泪呀！张伯伦脸皮之厚，真不可以尺量。）是敌人顶大的把柄。只要张伯伦不下台，日本鬼子总有花样可耍。其次是美国的孤立派。这些共和党和民主党保王派（Tory Democrats）的老爷们在拼命反对罗斯福的反侵略政策，处处替日、德、意撑腰。这就是为什么日本外交最近特别想对美“亲善”的缘故。也就是这次敌人为什么对美大使之来到重庆特别加以渲染的缘故。再就我们国内的情形来说，抗战两周年来，我们虽然已经把那些动摇妥协分子，如汪精卫、韩复榘之类，枪毙的枪毙，赶跑的赶跑了。但以如此广大如此复杂的中国社会，难免有极少数的人，贪图个人的安逸，把民族的存亡，国家的荣辱丢在脑后的。所以每当敌人用一次政治阴谋，便想抓住这些人物，多方蛊惑，入其圈套。汪精卫就是中间的一个，不过来头大些就是了。

我们不能否认这些国际和国内的弱点，而且也不必否认。目前的问题，就是上述这些弱点是否已经成熟到哪种程度，可以给敌人利用，来完成其迫令中国屈服的目的？

我们的答复是没有，绝对没有。关于这，我们在本刊(《全民抗战》)第六十期《国际事变与中国抗战前途》那篇短文里已经从基本上分析国内外的关系，结论是当时要用国际调解的方式叫中国屈服是绝对不可能。根本原因是：敌人要继续侵略，我们要继续抗战，而英、美则不能也不愿压迫我们向日本投降。

是的，这三个多月来，世界和中日的局势已经起了很大的变化。从捷克被并以后，德、意、日对英、美、法的威胁是更进一步了，它们的强盗兽行也更起了平行和配合的作用。但另一方面反侵略集团也在建立起来，英、苏的谈判和美总统向德、意的"声明"对全世界反侵略力量的团结，给以极大的鼓励。所以从基本趋势上看，国际局面的发展对于支持我们的抗战是有利的。也就是说：最近几个月来国际情势之发展，并没有加强英、美、法诸国压迫我们对日本屈服的力量。

当然，就最近几个月来的整个的局面来看，有些因素是对我不利的。第一是英国的政策根本上还没有改变。财相西门和内相霍尔对英国的远东政策，还起有相当决定的作用。尤其到最近他们看到欧洲局势无法缓和（主要原因就是他们对反侵略集团之建立，实际上在怠工），赶快要集中力量对付欧局；同时又不愿得罪日本，免得他干脆加入德、意军事协定（？感谢绅士们的好意，他们之间老早有了军事和政治的协同动作了），所以在远东方面妥协的倾向异常浓厚。这种情形影响到美国，便给孤立派以相当的助力，使罗斯福的积极政策更受牵制。法国政府一向对远东问题注意较少，现在受到英国的牵制，自然更难积极。这是一方面。

其次，敌人对我的政治阴谋进行得更加毒辣了。他在国际上运用英国的妥协政策，离间英、美、法、苏，便利其分别击破。对我则加紧破坏团结，一面积极经营敌后，加强傀儡政权。

最后，汪精卫袍笏登场了。凭着他的花巧，他要在日本鬼子的掌心里，耍一套大把戏，对敌后、战区和我们总后方，都用挑拨离间的手段，假反共为名，造成敌人分而治之的局面。同时扩大其主和的宣传，造成其对敌投降的群众基础。

所有这些因素都会或多或少地使敌人造谣的机会增加些，使敌人和汪逆等汉奸蠢动的可能扩大些。至少限度使得所谓“和平”的空气有不时放送的可能。然而我们一定要指出，这些因素在今天绝对没有决定的作用。相反的，这些因素包含有矛盾，那些矛盾之扩大倒会有利于我们持久的抗战呢。

第一，在远东以及与远东有关的国际时局中，有几个重要的因素都有利于我抗战之继续。英、苏谈判和一般反侵略国家的日趋团结，便是顶重要的事情。英、苏谈判虽然因为英国态度的犹疑闪烁，发生许多波折。但保守党英国今天不得不和苏联接近，这已是国际局势的大进步。这个进步对于我们抗战外交运用，对我国际援助的扩大，都有很大的帮助。其次，因为敌人加紧封锁我全部海口，在占领汕头之后，更进一步要占领温州、福州，因为敌人严厉封锁天津英租界，对英国作“文明的”挑衅；因为敌国国内和在敌后加紧进行反英运动，所以日、美，特别是日、英的矛盾更加紧张了。谁都知道，日本今日之反英，有一种作用是想压迫英国，出面作廉价的调停的。无奈少批军人执行得太过大了，他们对英国的威胁和侮辱已经引起英国舆情极大的愤慨，甚至使得张伯伦要出面调停，要相当变更对华政策也不可能了。最后，中国和他最可靠的友邦苏联上月间签订了

《中苏商约》，增厚了战斗的友谊，同时日本和他最可怕的敌人苏联，从五月份起，已经在外蒙边境直接起了冲突，遭受了极大的打击。我们相信，日本堂堂“皇军”今番在贝诺湖上空所享受的“光荣”是决不亚于去年的“张鼓峰事件”。在苏联这样直接间接援助我们的情形之下，要想像我们会由旁人的调停，就此不和敌人拼命到底。那简直是不可能的。

第二，就敌人方面来说。敌国人民和财阀政党虽然愿意立即结束战争，可是军火业家和少壮军人，决不愿“放下屠刀，立地成佛”。因为日本号称笃信佛教，学成佛竟是后事，升官发财才算实在。现在日本海军和少壮军人正在做他进攻我沿海商埠，封锁我全部海岸的得意文章。他们对我的进攻非但没有放弃，而且看准机会，在作致命的打击。所以尽管有人在提出，日本可以撤退华中华南的军队，作为对我讲和的交换条件。这种如意算盘，给不得少壮军人“光荣”的。

第三，汪精卫已经跨上了马背。这虽是敌人的得意之作，但是这却大大地推动了敌人的“讲和运动”。敌人应该知道，汪逆已被我们开除了，除职了，打上遗臭万年的卖国贼火印了。敌人满心要讲和，却把这块碍路的大石头挡在路中心。试问敌人：你们还是要讲和，还是和汪逆讲和？还是和别人讲和？老实说，即使你要讲和，同时即使我们要讲和（当然绝对做不到），这和的大道也给汪逆遮断了。这就叫做扳块石头磕脚背，自讨苦吃。

最后，尚且最重要的，我全国上下抗战到底的决心，绝对没有动摇，而且也绝对不会动摇。我们抗战的第三年已经开了幕，谁敢向我前线的将领和弟兄们说半个“和”字？谁敢向全国老百姓说半个“和”字？如果谁说得出口，听我们最高领袖和政府的申斥和制裁吧。

“如果我们还要想在虎颌之下，苟求余生，复以和平妥协的方法求得独立平等的生存，无异于痴人说梦。”（蒋委员长）

“现在主和者实即中途妥协，投降敌人，皆当以汉奸论之。”（陈诚部长）

“汪逆，不惜自附于汉奸之例：当即由全国军政各机关，严缉务获，依法惩办，以肃纪纲。”（国民政府月　日通缉汪逆令）

（《全民抗战》七十八号）

（三）

汪逆“艳电”原文

（中央社香港二十七年十二月卅日电）汪兆铭今日在此发表致国民党中央艳电如下：

重庆中央党部总裁暨中央执监委员诸同志均鉴：今年四月，临时全国代表大会宣言，说明此次抗战之原因，曰：“自《塘沽协定》以来，吾人所以忍辱负重，以与日本周旋，无非欲停止军事行动，采用和平方法，先谋北方各省之保全，再进而谋东北四省问题之合理解决，在政治上以保持主权及行政之完整为最低限度，在经济上以互惠平等为合作原则。”自去岁七月“卢沟桥事变”突发，中国认为此种希望，小能实现，始迫而出于抗战。顷读日本政府本月廿二日关于调整中日邦交根本方针之阐明，第一点为善邻友好，并郑重声明，日本对于中国无领土之要求，无赔偿军费之要求，日本不但尊重中国之主权，且将仿明治维新前例，以允许内蒙居住营业之自由为条件，交还租界，废除治外法权，俾中国能完全其独立。日本政府既有此郑重声明，则吾人依于和平方法，不但北方各省可以保全，即抗战以来沦陷各地，亦可收复，而主权及行政之独立完整，亦得以保持。如此，则吾人遵照宣言谋东北四省问题之合理解决，实为应有之决心与步骤。第二点，为共同防共，前此数年，日本政府屡曾提议，吾人顾虑，以此之故，干涉及于吾国之军事及内政。今日本政府既已阐明当以“日、德、意防共协定”之精神，缔结“中日防共协定”，则此种顾虑，可以消除。防共目的，在防止共产国际之扰乱阴谋，中苏邦交，不生影响；中国共产党人，既声明愿为三民主义之实现而奋斗，则应即彻底抛弃其组织及宣传，并取消其边区政府及军队之特殊组织，完全遵守中华民国之法律制度。三民主义为中华民国立国之最高原则，一切违背此最高原则之组织与宣传，吾人必自动的积极的加以制裁，以尽其维护中华民国之责任。第三点，为经济提携，此亦数年以来，日本政府屡曾提议者，吾人以政治纠纷，尚未解决，则经济提携，无从说起。今者，日本政府既已郑重阐明尊重中国之主权及行政之独立完整，并阐明非欲在中国实行经济上之独立，亦非欲要求中国限制第三国之利益，惟欲按照中日平等之原则，以谋经济提携之实现。则对此主张，应在原则上予以赞同，并应本此原则，以商订各种具体方案。以上三点，兆铭经熟虑之后，以为国民政府应即以此为根据，与日本政府交换诚意，以期恢复和平。日本政府十一月三日之声明，已改变一月十六日声明之态度，如国民政府根据以上三点为和平之谈判，则交涉之途径已开。中国抗战之目的在求国家之生存独立，抗战年余，创巨痛深，倘犹能以合于正义之和平而结束战事，则国家之生存独立可保，即抗战之目的已达。以上三点，为和平之原则，至其条理不可不悉心商权，求其适当。其尤要者日本军队全部由中国撤去，必须普遍而迅速，所谓在防共协定期间内，在特定地点，允许驻兵，至多以内蒙附近之地点为限，此为中国主权及行政之独立完整所需，必须如此，中国始能努力于战后之休养，努力于现代国家之建设。中日两国，壤地相接，善邻友好，有其自然与必要。历年以来，所以背道而驰，不可不深求其故而各自明了其责任。今后中国固应以旧邻友好为教育方针，日本尤应令其国民放弃其侵华侮华之传统思想，而在教育上确立亲华之方针，以奠定两国永久和平之基础，此为吾人对于东亚幸福应有之努力，同时吾人对于太平洋之安宁秩序，及世界之和平保障，亦必须与关系各国一致努力，以维持增进其友谊及共同利益也。谨此提议，伏祈采纳。汪兆铭·艳（廿九日）。

三联经典文库第二辑简目

《游击战教程》　明凡 / 著

《游击战术纲要》　陶剑青 / 编著

《汪精卫卖国的理论与实践》　钱俊瑞 / 著

《抗战以来》　韬奋 / 著

《陕行纪实》　楚云 / 著

《随军散记》　沙汀 / 著

《被日寇囚系半载记》　王研石 / 著

《倭营历险记》　房沧浪 / 著

《活跃的新西北》　田影 / 编著

《保卫华北的游击战》　刘清扬　陈北鸥等 / 著

《徐州突围》　《徐州突围》编委会 / 编

《沦亡的平津》　长江　小方等 / 著

《淞沪火线上》　胡兰畦等 / 著

《瞻回东战场》　长江　罗平 / 著

《东线的撤退》　胡兰畦等 / 著

《抗战中的西北》　徐盈 / 著

《鲁闽风云》　徐盈等 / 著

《西线生活》　西北战地服务团集体创作

《中国解放区见闻》 ［美］福尔曼著 / 朱进译

《全面抗战论》 潘汉年 / 著

《日本的间谍》 范士白自述 / 尊闻译

《日本大陆政策的真面目》 国难资料编辑社 / 编

《民众动员论》 李公朴 / 著

《中国外交史》 钱亦石 / 编著

《太平洋军事地理》 蒋震华 / 著

《世界经济地理讲话》 思慕 / 著

《列强军力论》 ［德］马克斯·威纳尔著 / 宾符 仲持 梅益等译

《近代国际关系史》 张铁生 / 著

《太平洋现势手册》 沈志远 石啸冲 / 编著

《近代世界政治史》 钱亦石 / 著

《从战争到和平——一九四五年的世界政治》 乔木 / 著

《战后日本问题》 思慕 / 著

《最近一年间的国际动态（1946.7—1947.6)》 《东北日报》社 / 编

《论政党》 翟放 / 著

《法与宪法》 韩幽桐 / 编著

《中华民国宪法刍议》 罗家衡 / 著

《民主·宪法·人权——作之民》 费孝通 / 著

《宪法论初步》 潘念之 / 著

《对反民主的抗争》 韬奋 / 著

《农村改进的理论与实际》 江恒源 / 著

《上海产业与上海职工》（上下）　　朱邦兴　胡林阁　徐声 / 合编

《陶行知教育论文选辑》　　陶行知著 / 方与严编

《中国通货膨胀论》　　杨培新 / 著

《中国及其未完成的革命》　　H·普拉特著 / 蒋天佐译

《中国的建设问题与人的训练》　　卢作孚 / 著

《论中国特殊性及其他》　　艾思奇 / 著

《中国经济问题讲话》　　钱俊瑞　徐雪寒　王渔邨　姜君辰　骆耕漠 / 合著

《中国经济的道路》　　许涤新 / 著

《中国财政之病态及其批判》　　孙怀仁 / 著

《官僚资本论》　　许涤新 / 著

《五四运动之史的评价》　　陈端志 / 著

《中国通史简编》（上下）　　中国历史研究会　范文澜 / 主编

《论文学的工农兵方向——读〈在延安文艺座谈会上的讲话〉》　雪苇 / 著

《中国近代史（上编　第一分册)》　　武波 / 编著

《文学百题》　　傅东华 / 编

《中国史学之进化》　　周谷城 / 著

《论民族形式问题》　　胡风 / 著

《论批评》　　荃麟等 / 著

《中国史纲》（第一卷上下、第二卷上下）　　翦伯赞 / 著

《近代中国思想学说史》（1–4）　　侯外庐 / 著

《中国政治思想史》(上下)　　吕振羽 / 著

《中国哲学史纲要》　　向林冰 / 著

《中国政治史讲话》　　钱亦石 / 著

《中国社会经济史纲》　　王渔邨 / 著

《新财政学大纲》　　千家驹 / 著

《太平天国革命运动论文集——金田起义百周年纪念》

华北大学历史研究室 / 编

《理性与自由——文化思想批评论文集》　　胡绳 / 著

《战斗者的诗人》　　黄药眠 / 著

《国语文法》　　曹朴 / 著

《教育哲学》　　张栗原 / 著

《妇女问题讲话》　　杜君慧 / 著

《婚姻 · 子女 · 继承》　　沙千里 / 著

《性教育新论》　　布士克　雅各生合著 / 董秋斯译

《狱中杂感》　　杜重远 / 著

《七人之狱》　　沙千里 / 著

《爱迪生传》　　伍况甫 / 译

《歌德自传》(上下)　　歌德著 / 思慕译

《尼赫鲁自传》　　[印度] 尼赫鲁著 / 毕来译

《列宁传》　　[苏] 凯尔任采夫著 / 企程　朔望译

《罗斯福总统传》　　C. Mackenzie 著 / 张尚之译

《托尔斯泰传》(1–3)　　[英] 阿尔麦 · 莫德著 / 徐迟译

《革命文豪高尔基》　［美］亚历山大 · 康恩著 / 韬奋编译

《鲁迅纪念特辑》　新中国文艺社 / 编

《回忆鲁迅先生》　萧红 / 著

《人民文豪鲁迅》　平心 / 著

《亡友鲁迅印象记》　许寿裳 / 著

《鲁迅思想研究》　何干之 / 著

《鲁迅研究》　夏征农 / 编

《过来的时代：鲁迅论及其他》　雪峰 / 著

《电影戏剧表演术》　洪深 / 著

《日常心理漫谈》　［美］约瑟夫・查斯特罗著 / 曾宝菡译

《心理常识漫话》　朱智贤　杨云美 / 著

《读书的方法与经验》　王任叔 / 著

《美国黑人生活纪实》　［美］加德维尔　斯坦倍克著 / 董秋斯译

《初访美国》　费孝通 / 著

《事业与成功》　［美］马尔腾著 / 汪原放译

《萍踪寄语（初集）》　韬奋 / 著

《一生的幸福前途——〈生活周刊〉信箱选集》　生活书店 / 编选

《深刻的印象》　生活周刊社 / 编

《海外的感受》　生活书店编译所 / 编

ISBN 978-7-108-04641-3
9 787108 046413 >
定价：23.00元